eu mesmo sofro,
eu mesmo me
dou colo

eu mesmo sofro, eu mesmo me dou colo

pedro salomão

Prefácio

Eu mesmo sofro, eu mesmo me dou colo. Realmente temos que ter em mente que somos edifícios inacabados e que, com as novas fases da vida, estamos sempre em constante mudança de sentimentos, emoções e amadurecimento.

Nesta obra, o autor mostra a paciência e o cuidado que devemos ter com nossa existência. Autocuidado com nossas emoções e com a bagagem que acumulamos ao longo dessas fases, ora boas, ora más.

Mas continuamos tentando cuidar de nossas emoções e, com isso, construir um edifício forte que suporte grandes ventos e grandes ondas.

E nós, como pais desse querido autor, nos lembramos da Palavra que diz: "flecha nas mãos do arqueiro são os filhos", no livro de Salmos 127:4. Assim, esperamos que essa flecha continue levando a poesia como fonte de esperança, autocuidado e amor, muito amor para essa e para outras gerações vindouras que certamente serão tocadas pelas poesias desta obra.

Somos muito gratos a Deus por poder dividir Pedro Salomão de Prosdocimi com vocês.

Mãe do autor

Espero que sua arte seja escavada em poço profundo, que flua com abundância e nunca seque, para saciar a sede de quem está com os lábios e o coração sedentos.

Pai do autor

Introdução

É sempre desafiador escrever a introdução dos meus livros, eu me sinto como alguém que quer impressionar no primeiro encontro. O primeiro encontro é sempre desajeitado, você veste sua melhor roupa, usa seu melhor perfume e ensaia os melhores assuntos. Mas sabemos que o que apaixona mesmo é o primeiro domingo à tarde, vestindo roupas confortáveis e conversando sobre assuntos aleatórios que os façam esquecer o resto do mundo.

Neste livro, você não vai encontrar a pessoa vestida adequadamente que costumo ser no dia a dia, tampouco o Pedro que se comporta como pede a etiqueta no primeiro encontro. Estes poemas revelam um universo um pouco mais profundo, são poemas que estão dispostos a conversar com você sobre questões mais íntimas e sensíveis, buscando ser um abraço de acolhimento para suas inseguranças, ou um amigo que te pega pela mão e te puxa entusiasmado para mostrar as maravilhas da existência.

A parte de mim que se apresenta aqui é a que veste o moletom mais confortável, que chora sem entender o motivo, que acha que está perdendo a cabeça, que sente medo de você não gostar da leitura ou de a editora não aprovar o livro, que às vezes acha que está sendo um incômodo para os amigos, que lembra de coisas do ensino médio e sente vergonha de si mesmo.

Estes poemas são a manifestação literária das minhas fragilidades. É um passeio por palavras que vão te descrever e dar formas para tudo o que você sabia que estava lá, mas não sabia explicar exatamente onde.

Tire os sapatos da alma e sinta-se à vontade neste universo, que é tão seu quanto tudo o que diz respeito a você. Uma vez que um poema fizer sentido para você, deixe que ele dissolva sua emoção, deixe que as palavras se apropriem de sua imaginação e a leve para outro lugar.

Por isso é tão difícil escrever a introdução, os poemas têm tanto para lhe mostrar que me sinto segurando uma criança prestes a entrar no parque de diversão.

Eu espero que este livro te faça resgatar sua originalidade, seu cheiro de você. Que te faça faxinar antigas salas empoeiradas de memórias doloridas e reformá-las para novos usos, com uma decoração mais moderna e que faça sentido com seu "eu" de agora. Afinal, você é uma casa linda demais para ter salas abandonadas.

Espero que tenha sido um bom primeiro encontro, e que as páginas seguintes criem uma relação cada vez mais forte entre você e a poesia.

Agora eu coloco um carimbo na sua mão e abro as portas desse parque.

Divirta-se.

Eu sou **pessoa**. Você é **pessoa**. E isso **basta**.

Eu amo poesia,
E as cultivo dentro de mim como uma senhora que conversa com suas plantas.

Mas eu odeio poesia,
E escrevi este livro para arrancá-las de dentro de mim,
como quem puxa ervas daninhas do solo e ouve estalar suas frágeis raízes.

Para me aceitar, eu precisei abraçar essa contradição inerente a tudo o que sou.

Se tenho uma atitude gentil, é porque me sinto à vontade e porque amo o sentimento de admiração que recebo em troca.

Se porventura tenho uma atitude grosseira com alguém,
é porque me sinto ameaçado, suscetível, vulnerável, inferiorizado.

Ironicamente, sou agressivo quando me sinto fraco,
e amável quando me sinto forte.

Só quando estou seguro posso me tornar vulnerável.

Só quando estou vulnerável preciso me proteger.

Para se conhecer por inteiro, você vai precisar se virar do avesso.

Eu fui enganado

Eu fui enganado por mim mesmo. Eu sussurrei repetidamente em meu inconsciente que "não me amar" era uma virtude, que "não me amar" era uma espécie de mérito, como se ao me olhar no espelho e sentir orgulho, eu estivesse ferindo alguém. Eu fui enganado e me enganei. Eu achava que as pessoas não iriam gostar de mim, então não me gostar era uma forma de antecipar o que eu já esperava dos outros, como se eu estivesse dizendo:"Ei, eu sei que você não vai gostar de mim, eu já não me gosto também, então isso não me surpreende".

Eu crio sobre mim todos os sentimentos negativos que fantasio que os outros vão sentir a meu respeito, como uma autodefesa, como para me sentir preparado para o que está por vir. Se eu fiz uma coisa minimamente errada ou equivocada, mesmo sem intenção, eu crio um juiz punitivo, cruel e autodepreciativo em minha mente, que fica me julgando o dia inteiro. Eu me coloco no banco dos réus e aceito a pena que vier, porque sinto que é isso o que acontecerá comigo na vida real, mas nunca acontece.

Eu me modulo para os outros, porque preciso da aceitação deles, porque não me aceito. Eu me fantasio para os outros, porque preciso da aprovação deles, porque não me aprovo. Eu me justifico para os outros, porque preciso do perdão deles, porque não me perdoo. Eu me critico para os outros, porque preciso do elogio deles, porque não me elogio. Eu me faço infeliz para os outros, porque acreditei que esse era o certo.

Então tudo bem quando me tratam mal, é isso mesmo que eu mereço. Tudo bem quando me criticam na frente dos outros para me diminuir, é tudo verdade. Tudo bem quando estou num relacionamento em que parece que tudo o que eu faço é desajustado, errado, porque eu não sei fazer nada direito mesmo. Tudo bem estar cercado de amizades que nunca elogiam nada e em que todos os comentários que fazem sobre mim trazem uma alfinetada sutil.

Porque ser feliz e amar a si mesmo é arrogância, é alienação política, é egoísmo, é egocentrismo, é imaturidade, é um desvio de caráter, e partindo dessa prerrogativa, tudo que se desencadeia em mim é para me alinhar moralmente com esse conjunto de crenças.

Eu me antecipo para a tempestade que imagino que virá do mundo externo, e fica insuportável conviver comigo mesmo.

E agora eu quero pedir desculpas para mim mesmo por ter acreditado nessas coisas durante todo esse tempo. Eu quero me acolher, fechar os olhos e me abraçar. Eu percebo isso e sinto que nunca fechei a porta do meu coração para mim, sempre estive disposto a me receber de volta, com café e pão quentinho. Eu nunca mais vou trancar a porta e me deixar para fora, tomando chuva. Se alguém me alfinetar e fizer questão de abrir minhas feridas, eu vou me defender, porque ninguém tem poder sobre meu coração e eu jamais vou deixar alguém machucar o "eu" que amo tanto. Eu vou telefonar para as pessoas que me trazem luz do Sol, que gostam de visitar meus jardins, que amam o "eu" original.

Eu só vou dar valor para a verdade, para a sinceridade amável, para o abraço forte, para a sugestão doce. O amor que preciso emana de mim como um vulcão e transborda em tudo ao meu redor. Meleca tudo de calma e carinho.

Bem-vindo de volta.

Eu senti muita saudade de mim.

P.S.: Tá desculpado.

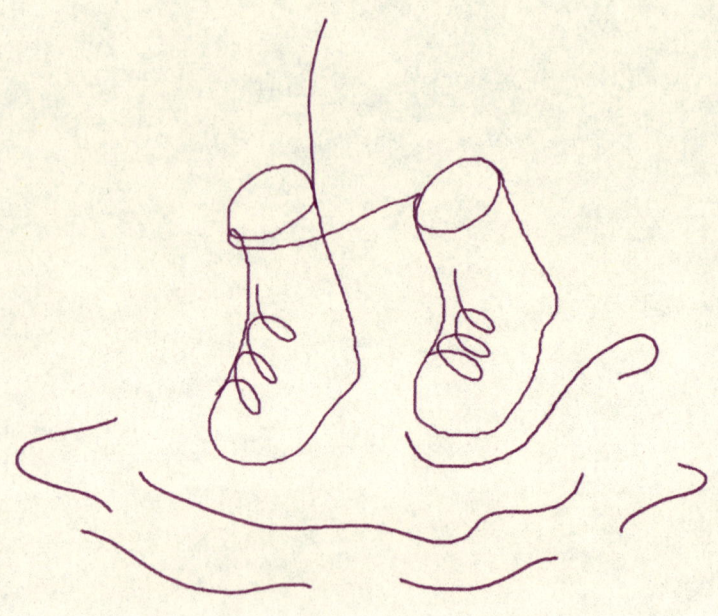

Eu danço
em minha tempestade
Para fazer
Felicidade em copo d'água.

Todos os amores que vivi foram de verdade.

Todas as verdades que vivi foram **temporárias**.

De tanto me achar

Eu me perdi

De tanto me explicar

Eu me desentendi

De tanto me justificar

Eu me arrependi

De não ter sido **eu**

Que me escolhi.

Eu sou carinhoso com todo mundo,
menos comigo.
Eu me cobro como um algoz cobra um prisioneiro.
Tudo dos outros está bom para mim
e nada que eu faça me parece suficiente
para me sentir suficiente.
Eu preparo um banquete para os outros
e me contento com as migalhas que caem da mesa.
Eu não me devo nada,
nem para os outros!
Eu sou suficiente,
sou meu amigo.
Eu me aceito e respeito!

O banquete é meu, eu preparei com capricho,
como sempre,
e a partir de hoje só vai se sentar à mesa
quem eu amo e quem pedir licença.

O que eu **sou** senão ideia?
Será que **sou** o que escreve mais do que o intestino dentro de mim que neste exato momento trabalha?
minha laringe me é?
ou eu **sou** feito do que faz parte de mim?
quando falo, a saliva que voa também era eu
e é transportada para o ar
e vira nuvem
então eu **sou** chuva também
e **sou** a luz do sol em minha pele
minha lágrima seca
mas não some
vira outra coisa
minha mente é só a bagunça que tenta entender
enquanto o eu acontece
e vai acontecendo.
Eu não sei se a morte é o meu fim
ou só o fim do meu eu.

A casa em reforma não se reconhece nela mesma.
Calma, continua sua obra.
Essa bagunça é normal na construção.
Falta pouco para você morar em você.

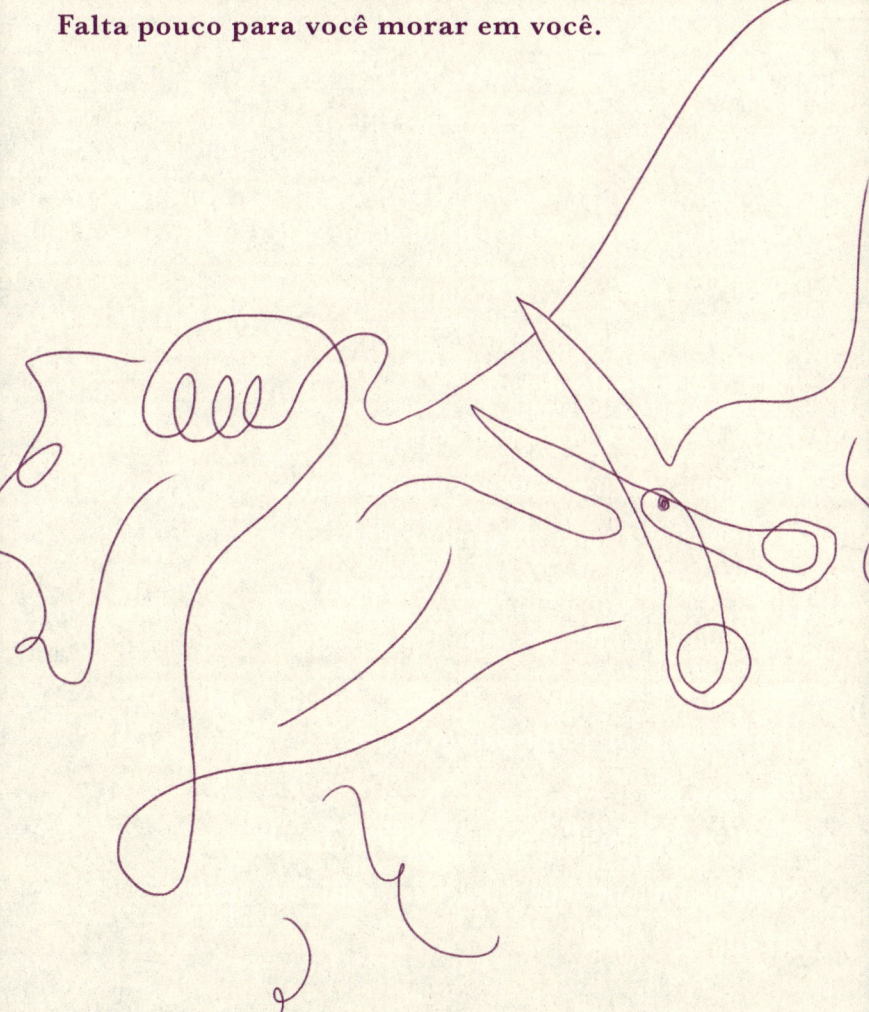

Não coloque toda a sua felicidade no depois
Se cuide agora
Para estar preparado
Para o **depois do depois**.
Estou vivendo o depois do depois
Do depois que havia me preparado tanto,
E estou com a alma em estilhaços.
Claro que vou juntar meus cacos para fazer
um lindo vitral de mosaico,
Mas foi dolorido.
Hoje vou me preparar para o agora
Dia após dia
Fortalecendo minhas estruturas e alicerces
Nenhuma tempestade vai derrubar minha catedral.

Eu corri atrás do meu sonho para me dar de presente, sem me questionar se este processo estava me fazendo bem.

Eu trabalhei como uma mãe trabalha, incansável, enquanto a única coisa que seu filho queria era um abraço e um olhar de amor.

Eu me deixei de lado. Me negligenciei. Me deixei ser guiado pela vaidade, insegurança e imaginação, enquanto alimentava um monstro dentro de mim.

E quando este monstro acordou, me senti como quem solta a mão de um afogado, me vi afundar e precisei pular do barco para me salvar.

Me desculpa, Pedro.

Só quando a merda aconteceu, eu me dei conta disso. É muita coisa, você sabe. Eu não sei lidar com meus anseios, eles esbarram em meus valores, que abalam a minha identidade, que faz tudo desmoronar.

Eu passo o rodo no chão depois da enchente, mas não vou desistir de mim.

P.S.: Já disse que tá desculpado.

Arte é para amadores!

Para quem não tem medo de se sujar de tinta, para quem não tem medo de se permitir que sinta. Eu amo a arte do desenho bobo, da poesia cafona e da dança esquisita. A expressão livre, colorida, simples. A arte divertida, que não serve para nada, e justamente por não servir para nada é o alívio desse mundo tão funcional. A função é te permitir ser, e só. Arte de criança arteira que rabisca o giz na parede.

Arte é para amadores, quem naturalmente se aprimora na medida em que se permite fazer e errar, e vai percebendo que a arte nasce do erro. No tropeço nasce o palhaço. No que é dito errado nasce a poesia. No movimento não habitual nasce a dança. Nunca diminua a arte de alguém, incentivar a arte amadora é incentivar a alma, é valorizar a vida e a visão de mundo. É permitir a expansão da expressão. **O mundo só tem a ganhar com sua arte amadora.** Antes de querer ser profissional, permita-se ser amador, divirta-se em ser amador, e faça sempre como quem faz porque ama, porque não se imagina não fazendo.

O mundo já tem profissionais demais, mas a arte sempre será dos amadores.

Para fazer o bem
E contribuir para a humanidade
Basta ser humano.
Não espere a santidade
A santidade não serve para nada além de alimentar o ego
E dar comida para a vaidade.
Para humanizar
Basta ser humano.
O mundo não precisa de perfeição
Mas de **pessoas dispostas**.

Meu coração é um palco

Minhas emoções são crianças atuando mal

Enquanto a razão

Sentada na primeira fila

Tenta coordenar a tragicomédia Birrenta.

Tem criança chorando em cena

Tem criança prodígio

Tem um público emocionado assistindo

E tem eu

Que sou **a história que está sendo contada**.

Um ensaio sobre o vazio existencial

Certo dia, eu me olhei no espelho e não me reconheci.

Foi meio que assim, do nada. A rotina, que há tanto tempo me passava desapercebida, pareceu estranhamente desajustada. As pessoas com quem eu tinha relações tão leves tomaram formas desconhecidas para mim. Minha carreira, que eu tanto tinha paixão, perdeu o sentido de uma forma muito esquisita.

Eu não me reconhecia mais, nem a mim, nem nada ao meu redor. Isso me deixou extremamente assustado, pois como eu não sabia o porquê de tudo isso, parecia que estava perdendo a cabeça.

Às vezes a realidade nos dá um soco na cara, como quando perdemos alguém que amamos, por exemplo. O luto é uma fase de adaptação da percepção da realidade para a nova realidade que mudou abruptamente. É como se durante esse período houvesse um descompasso entre o que entendemos por realidade e a realidade em si. A realidade já não tem mais a pessoa, mas tudo o que entendemos por realidade ainda a tem.

Mas e quando esse descompasso chega sem um motivo aparente? Quando parece que o que entendemos por realidade já não faz mais sentido?

Ando pensando muito sobre isso e gostaria de compartilhar com você.

Eu estou passando por um desses períodos de turbulência existencial, nada do que eu era me serve mais. Eu não sei responder uma lista simples de fatos sobre mim. Acredito que esse sentimento de desajuste é normal em grandes fases de transições da vida, como quando começamos a nos tornar adolescentes e não sabíamos existir de outra forma, visto que fomos criança até então. A realidade muda, a forma como as pessoas nos tratam muda, nosso corpo muda, e nossa mente precisa acompanhar essa mudança meio que de improviso.

De repente, eu olho para o lado e vejo tudo o que venho fazendo, em todas as relações, profissionais, afetivas, familiares e me pergunto: "Nada mudou, então por que me sinto diferente?". Do nada senti que faltava "eu" nas coisas que fazia. O "eu" de verdade, original. Mas cadê esse"eu"? Parece que ele se esfarelou com o tempo.

Minhas responsabilidades só cresceram, e acho que minha realidade foi se desenvolvendo sem que eu me desenvolvesse junto. Foi uma mudança feita com muita paixão, mas meio que em atropelo. Agora estou tendo que organizar essa bagunça que me encontro.

Os projetos e ações da minha vida estavam caminhando sem eu me perceber, e eu não era assertivo em minhas posturas e comportamentos. E eu não estava sendo assertivo, porque não sabia de fato o que queria. E eu não sabia de fato o que queria, porque não sabia de fato quem eu era. Se eu não sei quem sou, não sei o que quero e jamais conseguirei ser assertivo em minhas decisões. **Quem perde o "eu" não tem ponto de referência para medir o mundo. Você é seu parâmetro para dar sentido a tudo ao seu redor.** Se eu não sei quem sou, como poderei compreender e construir a realidade ao meu redor?

Eu quero o retorno a esse "eu", que mais do que simplesmente encontrá-lo e conhecê-lo, é também um processo de reconstruí-lo. Você se negligenciou e por isso desapareceu. Mas não se preocupe, se está lendo isso é porque existe, e se existe pode se reconstruir.

É longo o trabalho de reconstrução, também é dolorido e exige muita humildade e coragem, mas vale a pena. Aos pouquinhos a casa vai tomando forma e você vai percebendo que existe de novo, até que essa preocupação nem faça mais sentido para você.

Vai colocando os tijolinhos na sua identidade, dia após dia, para construir uma casa que aguente passar por severas tempestades.

Se você abriu mão de valores que eram importantes para você durante esse tempo, busque reconsiderá-los, não faz bem a gente abandonar o que acredita. Respeite o que acredita. Questione-se, mas também se respeite. Sua espiritualidade, sua visão de família, seus gostos. Lembre-se que você merece ser feliz.

Eu não quero que você seja nada além de você, para que eu também possa ser eu, e assim nossa alma fique forte, alegre, leve.

Tudo no universo passa por períodos de adaptação. Vai passar, e quando passar, as coisas vão voltar a fazer sentido, **não tenha medo**.

Sempre que você vê uma árvore
Você só vê metade dela

A outra metade está debaixo da terra
Espelhando o que está na superfície

O que eu falo é o que toma vento e sol
O que penso é o oculto

O que vivo na rua é o que toma vento e sol
O que vivo em casa é oculto

O que escrevo é o que toma vento e sol
O que me motiva a escrever é oculto

O que posto na internet é o que toma vento e sol
O que faço nos bastidores é oculto

O palco é o que toma vento e sol
Eu aquecendo a voz no camarim é oculto

As opiniões são o que tomam vento e sol
Os valores e crenças são o oculto

A imagem é o que toma vento e sol
A verdade é o oculto

O que toma vento e sol, balança e toma chuva
Só existe se o oculto embaixo da terra for forte e verdadeiro

Não adianta crescer a copa sem crescer raízes
Só o equilíbrio pode sustentar a vida.

Eu terminei um relacionamento
E foi como alguém que solta a mão do outro
pendurado no penhasco
Mas nesse caso
eu que estava pendurado.
E precisei soltar sua mão para que você seguisse seu caminho
E para que eu
Caindo na real
Aprendesse a **voar**.

Pare de insistir no que claramente está te invalidando!
Você parece estar tentando tapar sua nascente com pedras.
Identifica e retira o que não é, para poder naturalmente ser o que é.
Insistir no que te invalida como pessoa é caminhar contra o vento,
é ficar tentando represar o rio da sua identidade, um rio que precisa fluir.
Como isso é cansativo!
Não insista no que invalida seus valores, seus gostos, seu comportamento, seu jeito tão único de ver o mundo.
Você transborda vida quando se permite gargalhar
e ser o que é.
Se quiser aumentar, terá que retirar.
Se quiser expandir, terá que podar.
Se quer avançar, tenha coragem de terminar.

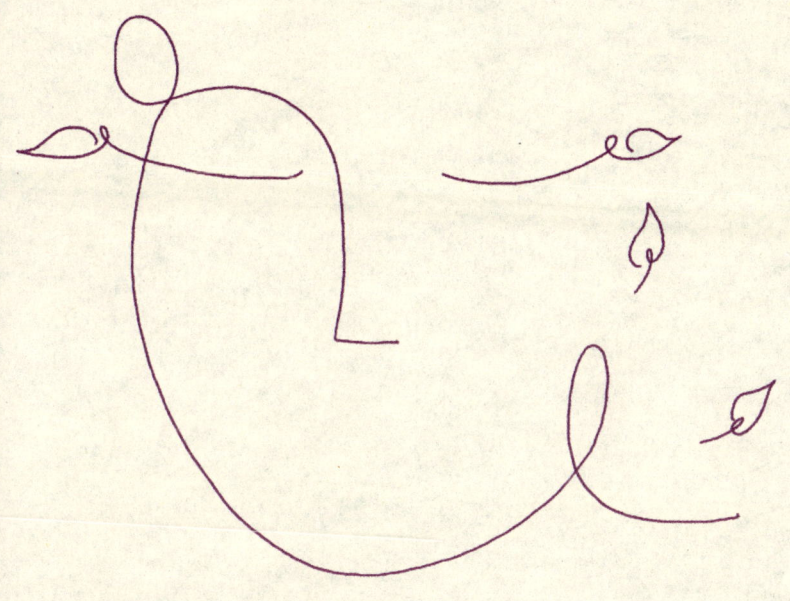

Eu não queria chorar
Eu queria ser a lágrima
Para secar
Evaporar
E virar vento.

P.S.: A lágrima secou, evaporou e virou vento. E eu sequei, permaneci e virei vida.

Doçura

É muito fácil encontrar palavras amargas por aí. Acontecem várias vezes ao dia, nos mais diferentes contextos e relações. Palavras azedas, estragadas, que amarguram o dia de quem as recebe, que são proferidas para alfinetar nossas fraquezas, para desestabilizar nossa sensatez.

O que falta no mundo é **doçura**.

Aquela rara doçura do elogio sincero, que não tem outra intenção senão elogiar e puramente elogiar. A palavra doce que perfuma o dia, que ganha um sorriso leve impossível de conter. Essa doçura está tão rara que quando alguém a recebe fica até meio desnorteado, como se não tivesse entendido direito o que foi dito, como se nunca tivesse recebido uma palavra doce antes. Nem sabemos mais reconhecer essas doçuras de tão inabitual que isso se tornou, enquanto as palavras amargas já fazem parte da nossa rotina, já é o esperado.

Eu tinha uma amiga na faculdade, uma menina que hidrata o cabelo encaracolado com babosa, a Jú, que de vez em quando me levava suco de acerola que ela mesma havia colhido em seu quintal, e aquilo alegrava meu dia, qualquer que fosse a aula chata que estávamos tendo no curso de Geografia. O azedinho gostoso daquele suco de acerola era o suficiente para adoçar meu dia inteiro.

Também na faculdade, eu tinha um professor na matéria de Biogeografia, um desses professores queridos que, além de um vasto conhecimento, ainda se empenha em ter uma didática impecável para tornar seu ensinamento acessível a todos (aposto que algum professor ou professora da sua vida veio à cabeça). Durante uma de suas aulas, eu estava sentado na fileira do canto como de costume e ele explicava a matéria enquanto eu prestava atenção e girava a caneta entre meus dedos.

Em determinado momento, minha caneta caiu no chão e fez algum barulho, atrapalhando a aula dele. Ele olhou para a caneta no chão e eu fiquei esperando uma palavra de repreensão da parte dele, mas antes que eu pudesse ir pegar a caneta, ele se adiantou e, sem parar sua explicação da matéria, se abaixou, pegou a caneta, colocou em minha mesa, sorriu para mim e continuou a aula.

Meus olhos brilharam. Minha admiração por ele cresceu ainda mais, porque a doçura faz a pessoa brilhar, a doçura é o perfume da postura. A pessoa fica mais bonita, mais inteligente. O gesto de doçura dá singularidade; quando a pessoa se predispõe a se rebaixar, ela se eleva.

Não estou falando daquela ação de quando a pessoa se sente indefesa e não se impõe, de uma vulnerabilidade que tem medo de impor seus limites. Mas a doçura de gente que é tão bem-resolvida que transborda isso em tudo o que faz, e que a grosseria do mundo parece não abalar mais.

O que falta no mundo não é competição, não é gente que tem as melhores frases para sair por cima em uma discussão grosseira. O que falta no mundo não são comentários ácidos. Isso tem de monte, como lixo espalhado pelas calçadas.

O que falta no mundo é doçura.

São pessoas que não se deixam perder o açúcar mesmo em meio à rispidez da vida, que cultivam o carinho e a gentileza como quem cuida de uma delicada horta que são os corações de quem convive. Gente que elogia o almoço, gente que pede desculpas, gente que ri junto, gente que escuta, gente que perdoa.

Gente doce.

Querido medo, eu preciso me abrir com você

Obrigado por me mostrar os perigos da vida e por sempre me lembrar das coisas ruins que podem acontecer no futuro.

Eu sei que você se preocupa comigo e que seu papel é preservar a minha segurança, mas eu acho que te dei ouvidos demais e agora você acha que é dono da minha razão.

Medo, você tem um papel importante na minha vida, mas não é dono dela.

Você me ajuda a prever possíveis riscos, e isso é bom! Por isso não quero ser seu inimigo, quero te ter como aliado, para que possamos construir uma vida linda juntos.

Tem sido cansativo demais para mim ficar cotidianamente lutando contra você, e hoje eu percebo que você não quer o meu mal.

Eu preciso dar os próximos passos na minha vida, eu preciso seguir em frente, e te quero apenas como conselheiro, não vou mais deixar você tomar as decisões sozinho.

Medo, você faz parte de mim, e sempre fará, por isso vou conviver em paz com você.

Me desculpe pelas vezes que me agredi tentando te machucar. Me desculpe por tentar te fazer calar a boca, porque parece que quanto mais eu luto contra você, mais você me domina.

Quero fazer as pazes com você, medo. Mas quero deixar claro que a partir de agora quem toma as decisões sou eu.

Eu te amo, obrigado por se preocupar tanto comigo, mas eu sou mais forte do que você imagina.

Se eu fosse uma bomba, eu teria explodido

Se eu fosse leite, eu teria fervido

Se eu fosse Deus, eu teria mandado um dilúvio

Se eu fosse o céu, eu teria chovido

Se eu fosse um vulcão, você já imagina

Se eu fosse uma arma, eu teria atirado

Se eu fosse uma roupa, eu teria rasgado

Se eu fosse um fantasma, eu teria sumido

Se eu fosse um vírus, eu teria matado

Se eu fosse fronteira, eu teria cruzado

Se eu fosse o demônio, eu nem sei

Mas **eu sou pessoa**

e como pessoa,

eu chorei.

tudo tem limite.

Saber a hora de parar
É uma espécie de dom

saber que foi bom enquanto durou
e que durou enquanto foi bom.

O medo da dor dói mais que a dor.
Ver a enfermeira preparar a injeção dói mais que a injeção.
A gente especula uma dor absurda que nunca é tão grande quanto o esperado.
A verdade é que a gente não sabe de fato o tamanho da força que temos para aguentar a dor.
Você vai suportar isso.
Você vai passar por isso.
Você vai superar essa dor.
Você é mais forte do que imagina.

A maior frustração de todo artista
é a de nunca poder assistir ao próprio show.
Eu nunca vou assistir ao meu show
Posso assistir a um vídeo que gravaram
Posso entender a lógica por trás das músicas
Mas não posso me olhar no palco
Me contagiar comigo
E receber o que entrego ao público.

Eu saio do palco para a coxia
Construo o trabalho nos bastidores
Mas a experiência de sentir a apresentação, eu nunca senti.

Eu nunca li meu livro
Nem nunca poderei lê-lo
Assim como você está lendo.
Eu o escrevi, revisei
Passei os olhos sobre as poesias no papel
Mas não consigo ler como você o faz
Ler requer a emoção do inesperado

De ser conduzido por um caminho novo apresentado
pelas palavras
Mas como fui eu que construí o caminho
Jamais poderei senti-lo
Eu estava lá quando foi pavimentado
Todas essas palavras que você lê
Já estão no meu vocabulário

Eu tenho minha obra enquanto continuidade,
contexto, antes e depois.
Você a tem nas mãos como arte, como produto
que se basta nele mesmo.

Eu não conheço minha arte.
Assim como ninguém consegue sentir o próprio cheiro
Minha poesia exala de mim
E eu não consigo perceber sua existência
Eu escrevo da forma como penso
E sempre pensei
E achei que todos pensavam assim também

É como se eu fizesse um bolo
Que não posso comer

Eu sei que é bom, porque vejo a felicidade de quem consome
Mas o bolo tem meu gosto
O gosto da minha boca
O gosto que sempre sinto na língua.

Eu não sei como é me beijar
Apesar de participar de todos os beijos que dou.

Essa sensação boa de chegar ao final de um poema
Eu consigo sentir com o poema dos outros
Mas neste aqui
Mesmo eu sendo o dono da casa
O anfitrião é você
Você mora neste poema muito mais do que eu.

Minha arte é mais sua do que minha
Por isso todo artista é generoso
Eu construo um universo
E te dou ele de presente.

P.S.: Sinta-se em casa.

O controle da sua vida
nunca estará em suas mãos.
O volante,
sim.

Se perdeu?
Se perdoa.
Culpa cansa,
Culpa pesa.
Culpa é pedra,
Perdão é pluma.
Culpa é casa
Perdão é asa.
Para voar é preciso perdoar.
Culpa é mágoa e corrente
Perdão é água corrente.
Perdoar é vencer a razão
Por isso é sagrado
Perdoar é sentir o cheiro de Deus.

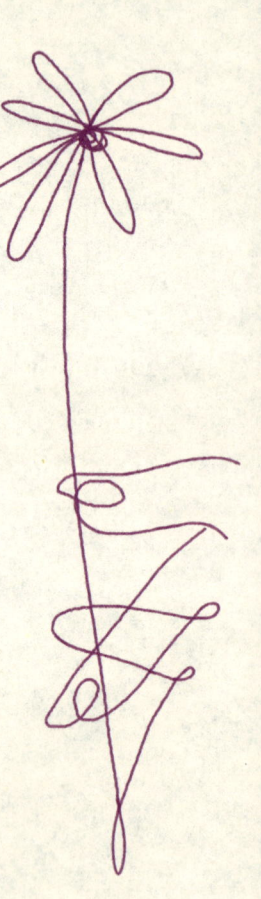

Seus pensamentos são apenas nuvens
Que transitam no céu da tua existência
Algumas pequenas, leves e coloridas
Outras escuras e carregadas.
Mesmo que uma nuvem estacione em seu céu
Escureça o dia
E faça chover
Ainda existe imensidão acima dela.
Você não é as nuvens que vêm e que vão.
Você é o céu
Que está ali, acima
Sem julgar as nuvens
Apenas a observá-las.

Eu escrevi um poema
Mas não mudou nada.
A vida seguiu independente do meu poema
Não fez a menor diferença.

No outro dia eu escrevi outro poema
E não mudou nada.
A luz na janela era igual
O café era igual
E meu coração ainda doía.

No terceiro dia, eu escrevi outro poema
E no quarto dia também
E fui escrevendo poemas mesmo sabendo que eles
não serviam para nada
A vida **cagava** para meus poemas
O mundo **cagava** para meus poemas
A Lua **cagava** para os meus poemas

Nenhum dia sequer eu deixei de escrever um poema
Poemas sobre tudo
Como presentes para a vida, para o mundo e para a Lua
Mesmo eles fazendo pouco caso de mim.

Um dia, o universo precisou de meus poemas
E implorou desesperado para que eu escrevesse algo sobre ele
Minhas palavras, enfim, teriam alguma relevância
Eu ri como ri um violão de desenho animado
E disse que jamais teria um poema meu!
E o universo acabou

Não o universo real
O universo que criei em um de meus poemas

E percebi que escrever um poema era uma forma
de inventar um mundo meu
Onde tudo gira em torno do poema que escrevi
Onde a palavra é ar, o começo e o além

O mundo **cagou** pro meu poema
E meu poema **cagou** pro mundo também.

Eu estou há tanto tempo fingindo ser o meu eu com os outros
Que quando posso ser eu mesmo
Já **não sei como agir**.

Eu era gelo em minhas convicções.

Mas me tornei vapor

Espaço e irreconhecível.

Eu quero ser líquido

Translucidamente livre

Que flui e se permite ser

Sem se perder

Que brilha

Brinca

Esquenta e esfria sem cair em extremos

Que chove manso.

O gelo quebra

O vapor some

E eu

Líquido que sou

Viro **banho de mangueira**.

A arte, a inspiração
são muito mais do cotidiano
do que do inalcançável.
A beleza está muito mais aqui do que lá.
O amor não está lá,
o amor está aqui.
A vida não está lá,
a vida está aqui.
Quando cheguei lá,
vi que não era nada daquilo.

Sou
porque somos
E somos
porque
somamos.

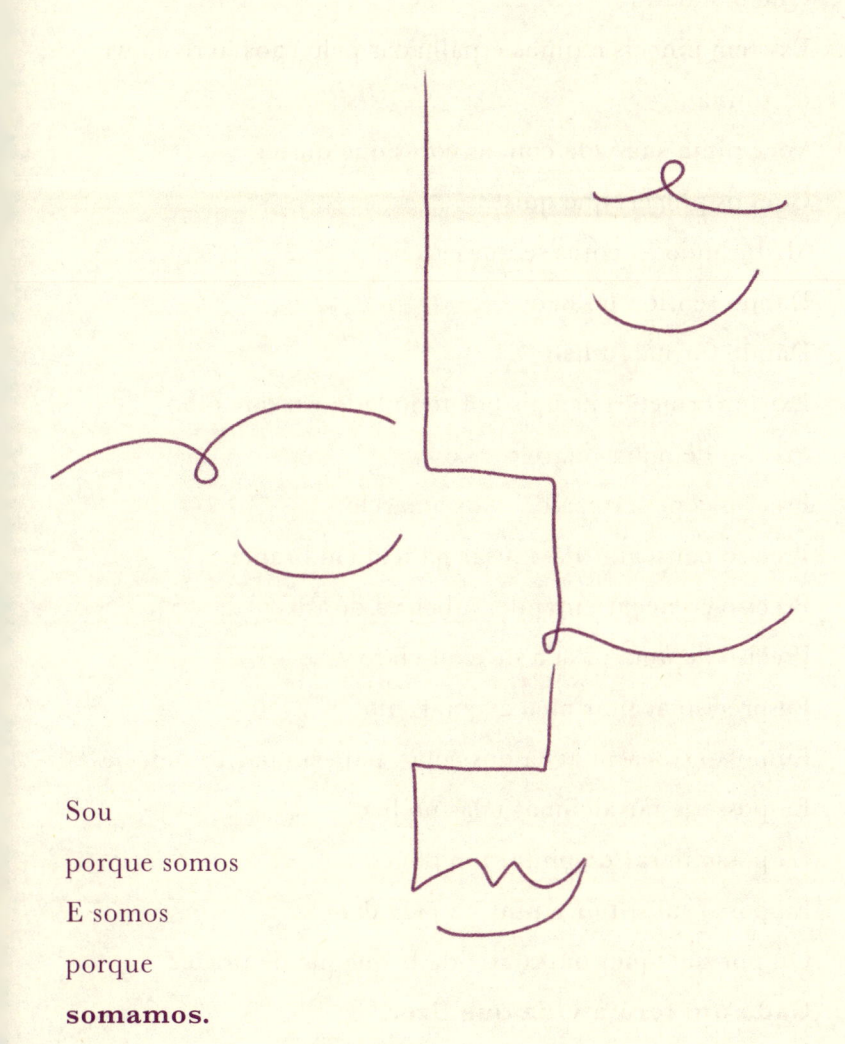

A vida é um montante de tempo
Que te é dado
Existem pincéis e tintas espalhadas pelo caos livre e leve da rotina
Você pinta sua vida com as cores que quiser
Com os pincéis que quiser
Misturando as cores se quiser
Dando sentido ou não
Dando forma ou não
Existe vermelho demais por todo lado em que olho
Preciso de mais amarelo
Preciso com certeza de mais amarelo
Preciso conseguir descansar na tela em branco
Preciso começar entender a beleza do roxo
Preciso de uma pitada de azul-claro
Eu preciso aceitar meu avental sujo.
Eu posso trocar a água dos copos para limpar os pincéis
Eu posso jogar algumas telas no lixo
Eu posso parar de pintar um pouco
Eu posso substituir a pintura pela dança
Ou por qualquer outra atividade que me dê prazer
Cada um terá a vida que fizer.

Alma.

Alma.

Alma deixada de lado

Vazia ela dorme

E eu escrevo em silêncio para não acordá-la

Deve estar cansada

Machucada

Exausta de tanto viver.

Quando ela acordar, eu terei preparado um lindo café da manhã

Ela merece

Não vou acordá-la

Seu sono sabe quanto sono é suficiente.

Ainda que eu tenha medo de ficar sozinho

Não vou acordá-la

Descanse, alma

Um dia lindo te espera.

"Escrever um poema é uma forma de eternizar a pessoa", disseram eles.

Mas por que eu vou querer eternizar algo que é tão fluido dentro de mim? Os poemas que escrevi para você foram a marca profunda de um momento, mas um momento que acabou!

Não quero olhar para meus poemas e pensar em você, não quero te ter eternamente dentro de mim, não quero que nada em mim seja eterno, porque eu deixo coisas pelo caminho e é isso que me possibilita dançar enquanto caminho.

Se não fossem essas pedras de memórias que carrego no bolso, minha jornada certamente seria mais leve.

Por isso, este é um poema diferente. Não para eternizar, mas **um poema para deixar morrer**.

Eu sei que quando pego os papéis dos poemas que te escrevi, minhas mãos ficam perfumadas de você, mas preciso lavá-las para que voltem a ter cheiro neutro.

Nessas palavras eu te mortalizo, te esqueço e te deixo pelo caminho. Eu já sigo sozinho, não tem por que carregar para sempre o peso de um poema.

Meus poemas antigos ainda existem, mas quero lê-los e pensar num bolo, numa paisagem bonita ou numa pessoa nova que estou conhecendo.

Eu me arrependi de te imortalizar.

Porque a natureza é sábia em não permitir que algo fosse imortal, tudo morre porque a vida só funciona em ciclos. E eu, no alto de minha vaidade, quis te imortalizar em um poema sem saber que isso me mataria aos poucos, atravancando meus ciclos de renascenças.

Eu sou um novo eu a cada ciclo da Lua, e escrevo esse poema para deixar apodrecer em mim todas as frutas que um dia me deliciaram.

Apodreçam, virem adubo, para que eu possa sempre me florescer!

Todo mês eu mudo os móveis do meu quarto de lugar, gosto do sentimento de renovação que isso traz. Passo pano em tudo, tiro a poeira e jogo algumas coisas fora. Faço isso com meu coração também, minhas certezas envelhecem rápido. **Eu sou uma transição que caminha.**

P.S.: Meus alicerces são sempre os mesmos.

felinja

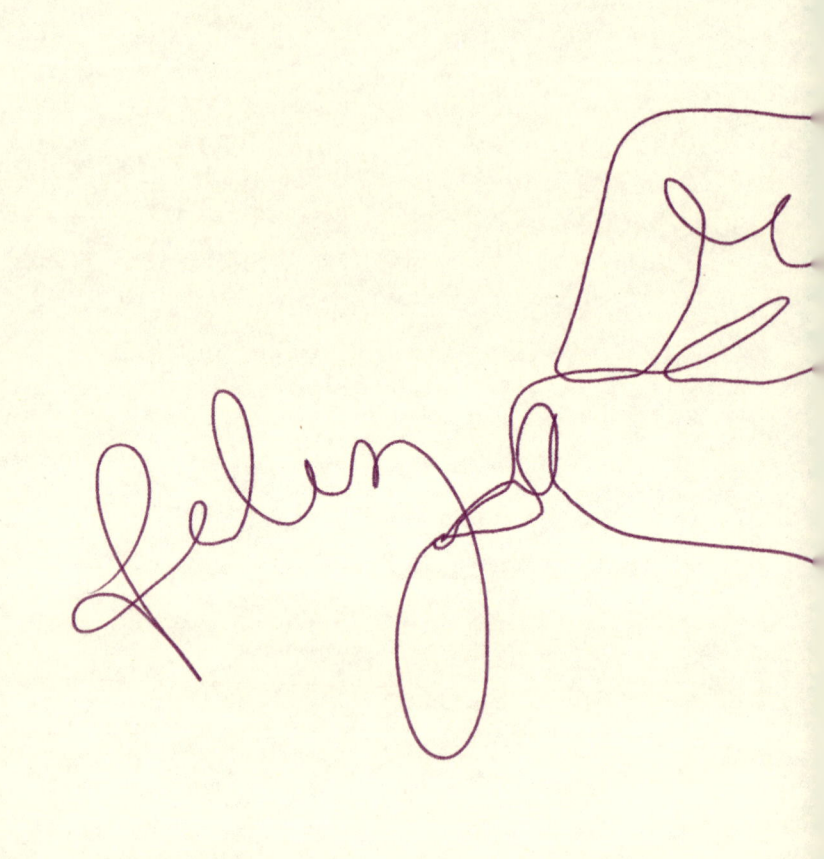

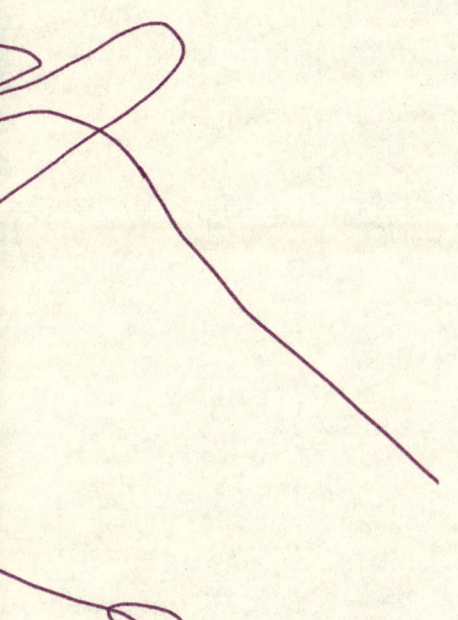

Escrever por escrever
Falar por falar
Viver por viver
Amar por amar

O que motiva o motivo
É pura conversa afiada

O que fez
foi porque quis
Por puro egoísmo de ser feliz.

O vazio faz parte do ciclo

Eu olhei para o céu e não encontrei a Lua. Eu sabia que não a encontraria, poderia ir a um campo aberto e olhar em todas as direções, ela não está no céu.

Isso de alguma forma dialogava comigo. Quando olhava para dentro de mim, não conseguia me achar. Nem mesmo o espelho refletia uma imagem que me trouxesse reconhecimento. Era uma pessoa, mas não sentia que era eu. Minha alma era um céu sem estrelas, sem lua, sem ninguém. Esse sentimento de vazio me dava medo, se eu não estava dentro de mim, onde estava então? Será que fui viajar e não me avisei? Será que morri e esqueci de avisar ao corpo?

Vazio.

Algum tempo depois, a Lua começou a aparecer no céu, não de uma hora para outra, mas em um processo tímido, noite após noite, um pouquinho mais. Até que, em uma noite qualquer, olhei para cima e a vi majestosa, enorme, redonda, iluminando a noite como um globo de festa.

Ficar olhando a Lua com ansiedade não acelera seu ciclo.

Por mais que a tecnologia nos deixe mal-acostumados com a tentativa de nos proporcionar tudo na hora em que queremos, alguns processos naturais são verdades eternas, ciclos sagrados que nunca poderão ser acelerados.

A Lua tem seu tempo, e seu coração também. Tentar passar por cima das fases de um sentimento é subestimar a sabedoria de seu coração.

Toda plantação precisa alternar ciclos para descansar o solo. Nenhuma plantação é ininterrupta. Olhar o campo vazio de sua existência não significa que você nunca deu frutos, significa que está na fase de transição para o novo plantio. Deixe o solo descansar, busque entender tudo o que passou para se aprimorar em sua nova fase. Escolha bem as sementes que vai plantar, sua colheita dependerá disso. Mas não se deixe enganar pelo campo vazio, **o vazio faz parte do ciclo**.

O vazio do céu faz parte do ciclo da Lua. O vazio da identidade faz parte do processo de amadurecimento da alma.

Eu busco um amor
Que bagunce minha idealização.
Porque o **inesperado**
É **apaixonante**.

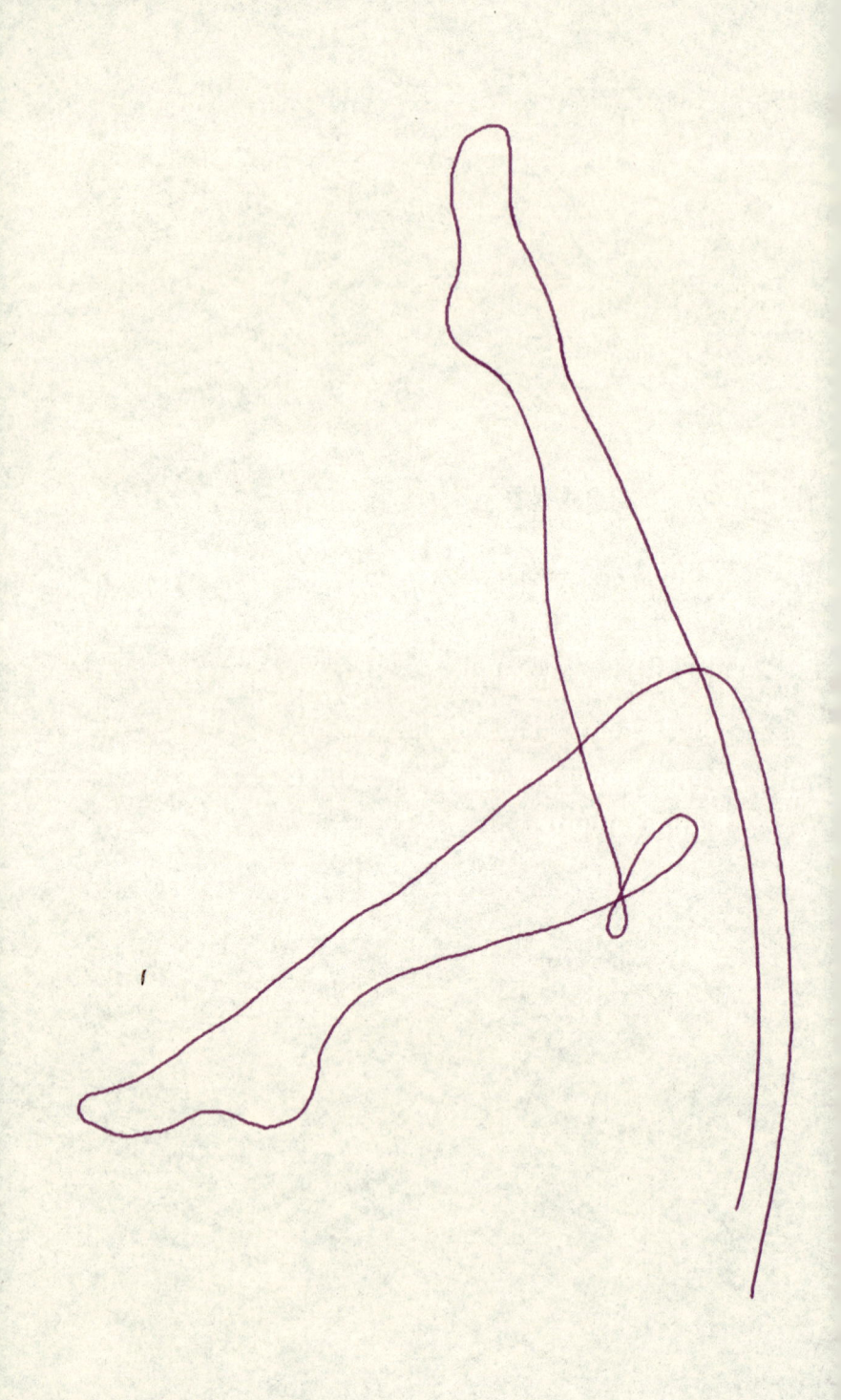

Sempre está um passo à frente
Quem caminha com um pé atrás.
Caminhar com um pé atrás
Me faz evitar de tropeçar nas expectativas.

Não sei o que
Para não sei quem!

Tudo começou naquele dia, foi dolorido, mas internamente eu sabia que ia dar a volta por cima! Um dia eu iria olhar para trás e tudo iria fazer sentido!

Eu respirei fundo, estufei o peito, me olhei no espelho, no fundo dos olhos, e prometi que iria provar não sei o que para não sei quem!

Isso virou meu objetivo de vida, acordar todos os dias para provar não sei o que para não sei quem, e minha rebeldia incendiava, era agressiva, era uma verdade que doía em mim, mas que principalmente doía em não sei quem. E ver que doía em não sei quem me motivava cada vez mais a travar essa guerra, por mais que doesse em mim também. Eu ia vencer essa disputa e provar não sei o que para não sei quem.

Foram anos vivendo assim, sempre ponderando minhas decisões em como isso afetaria não sei o que para não sei quem. Eu precisava agradar todo mundo, porque vai que isso diz não sei o que para não sei quem de forma equivocada. Eu precisava ser claro em minhas posturas para garantir não sei o que para não sei quem. Quantas lutas internas eu travei, quantos rivais imaginários eu criei sobre tudo e todos ao meu redor, quanta coisa eu fiz contra a minha vontade só para provar não sei o que para não sei quem.

Minha natureza foi negada, diversas e diversas vezes, por mim mesmo, por me sentir oprimido por não sei o que e por não sei quem.

Um gigante atrás do outro, e eu lutando contra cada um deles. Venci todos orgulhosamente, pensando estar sendo avaliado por não sei quem e provando não sei o quê.

Mas um dia eu fui vencido. Estava exausto, no chão, sangrando, com o olho inchado de tanto levar porrada. Pensei que seria chacota por não sei quem, mas não havia ninguém. O ringue estava vazio e eu percebi que tinha lutado sozinho esse tempo todo. Olhei para os lados e comecei a pensar sobre quando essa guerra começou e fui encontrando indícios na minha história de vida. Tudo fez sentido agora, eu comecei uma guerra contra não sei o que e não sei quem quando me abandonei, quando deixei de me amar.

Eu assino um acordo de paz e declaro o fim da guerra de não sei o que contra não sei quem. Eu sou um péssimo inimigo para se ter, a partir de hoje vou lutar ao meu lado.

Antes ela era tudo para mim.
Durante um tempo minha carreira passou a ser tudo.
Depois de muito me frustrar
Entendi que nunca mais alguma coisa precisaria ser completamente dona do meu coração,
E que **nada é tudo**
Porque tudo é parte.
A felicidade está em ter clareza no papel que cada coisa deve ocupar na nossa vida.
Eu amo muito
Me entrego e sou intenso
Mas tudo que eu amo tem uma sala especial dentro de mim
Não a casa inteira.

A FELICIDADE MORA NOS MOMENTOS ESQUECÍVEIS

Foi inesquecível quando fiz a viagem que queria.

Foi inesquecível quando beijei a boca dela naquele dia.

Foi inesquecível quando subi no palco e vi aquela multidão me olhando.

Os momentos inesquecíveis da minha vida são importantes, são como quadros em uma prateleira, mas não são os momentos inesquecíveis que fazem a vida valer a pena.

A felicidade mora nos momentos esquecíveis.

Eu não me lembro de uma vez em especial em que minha mãe viu o beija-flor parado na janela enquanto tomávamos café da manhã e ela disse: "ah, olha quem veio nos visitar", mas lembro que isso acontecia com muita frequência. Foram eventos esquecíveis.

Eu não me lembro de uma vez em especial em que pedi para o meu pai me ensinar a trocar o botijão de gás, mas lembro que isso acontecia com tanta frequência que acabou virando motivo de piada em casa. Foram eventos esquecíveis.

Quantas vezes o beija-flor visitou nossa janela, quantas vezes meu pai me ensinou calmamente a trocar o botijão de gás (e eu ainda não aprendi), quantas vezes minha vó me chamou às pressas para assistir a alguma reportagem na TV que falava sobre arte, quantas vezes eu olhei para o céu enquanto respirava fundo e agradecia por estar vivo, quantas vezes eu passei pelo corredor e fiz carinho na cabeça do cachorro, quantas vezes eu dei boa-noite e falei "**eu te amo**", quantas vezes a gente assistiu ao jornal enquanto comentávamos as notícias de modo sarcástico, quantas vezes, foram tantas que eu não consigo me lembrar de uma vez em especial. Momentos esquecíveis, profundamente esquecíveis, inesquecivelmente esquecíveis. E são esses momentos que fazem minha vida valer a pena.

Os momentos inesquecíveis são os quadros na parede, mas os momentos esquecíveis são a própria parede, e o piso, e o teto, o alicerce. Os momentos esquecíveis são a própria casa.

A felicidade mora nos momentos esquecíveis de quando estamos juntos.

A felicidade mora na troca de olhares entre os golinhos de café, não no champanhe.

O que eu quero de mim?
O que eu posso querer?
Esse negócio de identidade é tão confuso
Eu não sei se tenho uma essência
Parece que tenho, mas sei lá.
Minha fluidez me leva
E me **traz de volta**.
Me deixa ir
E me **deixa retornar**
Eu sou alto e estou com medo
É só isso que sei sobre mim.

Sou feliz
Mas passei o dia segurando o choro
Fecho a porta do banheiro
Ligo o chuveiro
E me permito chover.
Eu sou ensolarado
Mas estou bem caótico ultimamente.

Você cuida naturalmente das pessoas que ama.
Como se fossem um jardim que você
faz questão de regar com suas
palavras de amor.
Seu cuidado faz a vida de todos
ao seu redor florescer.

A vida te agradece por ser assim.

Eu amo que você se preocupa comigo
Mas quero que se cuide também.
Não deixe que sua alma passe frio
Enquanto tenta aquecer os outros.
Se ame em primeiro lugar
E dê ao mundo o amor
que transborda.
Só assim o amor acontece.
Só assim o amor é feliz.

Você quer que todos fiquem bem, eu sei.
Preza pela felicidade e bem-estar
de todo mundo.
Se depender de você, ninguém sairá
da própria zona de conforto.
E isso é lindo.

Mas às vezes acaba se machucando
para que ninguém se machuque.

Toma para si todas as dores.
Entenda que às vezes é simplesmente
impossível que todo mundo saia ileso.
Não fique se negando em prol
do conforto alheio todo dia
em todas as ocasiões.
Isso pode fazer você diminuir,
diminuir até desaparecer.

E quando finalmente sua luz
se apagar por completo,
tudo ao seu redor perderá a cor.
Inclusive as pessoas que você sempre quis salvar.

**Cuidar de você também é uma forma
de cuidar dos outros.**

Eu fiquei na ponta dos pés
Para tentar alcançar o céu
E não percebi que **para alcançar o céu**
Bastava fechar os olhos.

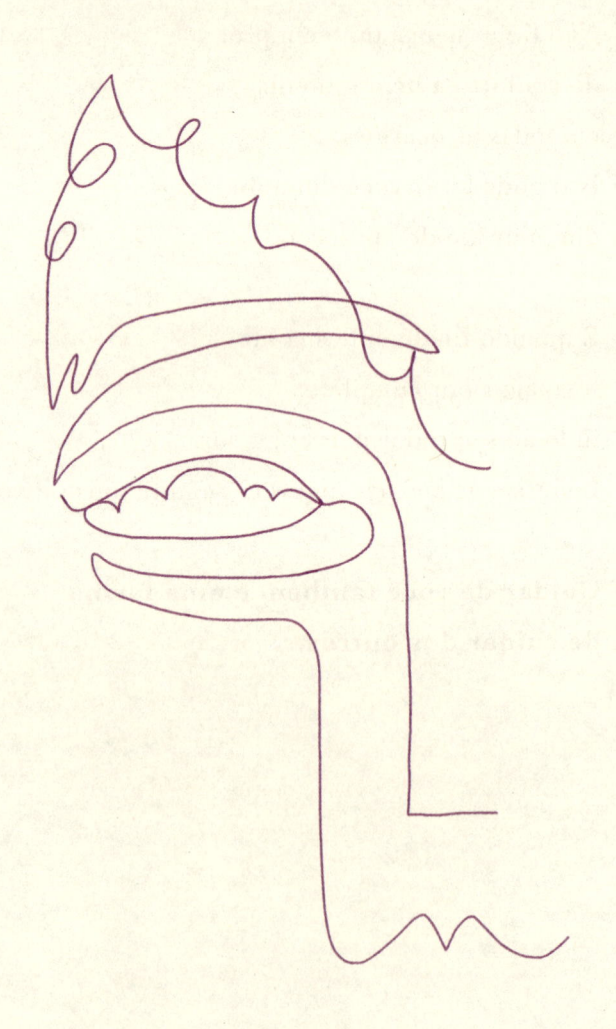

O óbvio é tão sutil
E tão mansinho
Que chega quieto e se acomoda dentro da gente.
Vai tomando espaço sem que a gente perceba.
Mas um dia nos damos conta dele,
E percebemos que aquilo já está morando dentro da gente há muito tempo
E já nem percebíamos mais seu cheiro ruim!
A gente faz vista grossa para o que nos fere a alma
Até aquilo se tornar mais **dono da casa**
Do que nós mesmos.
Uma vez percebido,
O óbvio precisa ser expulso de casa.

A gente tem um mundo nosso
De verdades nossas
E histórias nossas
De piadas nossas
Repertórios nossos
A gente tem um mundo nosso
Que eu sei que posso
Me entregar inteiro
Puro e verdadeiro.

Toda a racionalidade que eu tenho me argumenta que Deus não existe.
Mas quando olho para o céu
E fico o encarando por alguns segundos
Sinto no coração uma profunda e inexplicável **vontade de agradecer**
E isso minha razão não consegue explicar.

P.S.: Deus existe porque minha gratidão precisa desaguar no oceano.

A poesia afunda

Não porque é pesada

Mas porque precisa descobrir o que é mais profundo.

Afunda e me faz fundo

Afunda como pena

Afunda para se distanciar de mim.

Eu nunca pensei que agradeceria tanto
por algo ter chegado ao fim
A sua ausência
É um alívio para mim.

Eu te amo tanto
E nem te conheço.
Olho para o futuro e te imagino ainda sem um rosto
Meu descansar mora no seu colo
Em seus braços abraçados a mim.
Encaixado em suas axilas
Me aconchego eu seu peito e fecho meus olhos
Formamos uma casa em todos os sentidos possíveis
Os medos todos foram embora
Se diluíram no tempo sossegado
Viraram piada, ou nem isso.
Eu sinto seu cheiro de mulher
Seu cheiro de mulher
Suas mãos de mulher
Seu pescoço de mulher.
Sou apaixonado por você e quero filhas com o seu sorriso
Quero ver um pouco de você no jeito que elas falam
Quero um domingo com o seu sorriso
Quero morar numa casa com seu sorriso
Mulher

Tão inteiramente você.
Não te idealizo, te quero humana
Te quero pessoa
Sei que **o tempo caminha até você.**

A IRRACIONAL NECESSIDADE DE SER GOSTADO POR TODO MUNDO

Eu me amava muito.

Mas fui vivendo e conheci pessoas que criticavam meu jeito de ser, o meu amor-próprio as incomodava de alguma forma, então elas precisavam me diminuir para poderem se conformar. Isso me afetou e eu de fato diminuí. Era como se meu amor-próprio fosse um desvio de caráter, e eu queria demonstrar que não me amava mais daquele tanto, para que elas começassem a me aceitar.

Assim eu fui me adequando ao tamanho do amor-próprio que as pessoas me permitiam sentir, afinal eu precisava ser gostado por todo mundo, não sei por quê.

O irônico é que essas pessoas nunca passaram a gostar de mim, eu só tentei me ajustar ao tamanho que elas queriam que eu tivesse para neutralizar qualquer crítica que poderia sofrer pelas costas, risadas em grupinhos ou coisa do tipo.

A irracional necessidade de ser gostado por todo mundo.

Hoje eu me pareço com tudo, menos comigo. De tanto me camalear, eu já não sei que cor eu tenho.

Joguei fora meu amor de ouro para tentar receber as migalhas dos outros, porque tinha a irracional necessidade de ser gostado por todo mundo. A partir de hoje, vou me amar como nunca me amei, e as críticas de quem não gosta de me ver assim vão soar como elogio aos meus ouvidos!

Eu só quero querer quem de fato me quer, e **só vou amar quem amar me ver me amando.**

Eu uso meu carisma para preencher as lacunas que minha insegurança cria.
Não me acho suficientemente competente e sou extremamente simpático como uma forma de compensar esses vazios. Quando percebo que o que faço e o que sou bastam, me sinto livre da necessidade de agradar, e sou simpático única e exclusivamente pelo **prazer de ser.**

Querido passado, eu preciso me despedir de você

Eu me pego constantemente revisitando nossas histórias, e confesso que isso me machuca bastante. Dói porque foi bom, mas acabou. Parece que eu me reconheço mais em você do que em mim agora, e isso não está certo, eu preciso ser o que sou hoje. Apesar de tudo, eu sou extremamente grato a tudo o que vivemos e ao que você me ensinou. Minha ingenuidade de entrega nos fez viver momentos inesquecíveis, grandiosos, intensos, e isso estará guardado para sempre em meu coração como momentos felizes do meu caminho, mas isso não pode me definir mais, eu preciso te deixar para trás.

Obrigado pelos momentos e pelas risadas, obrigado pelas emoções e pelas pessoas que fizeram parte disso. Eu me perdoo pelas mancadas que dei, aceito que vivi o que vivi porque não sabia o que sei hoje e está tudo bem, eu fiz o que achei certo com a maturidade que tinha na época.

Eu estou te escrevendo esta carta porque quero te deixar virar passado, por mais que doa, eu acho que já chorei o suficiente e preciso aceitar que acabou, porque tenho certeza de que um futuro diferente me espera, não importa se melhor ou pior, isso é só ponto de vista, mas só de ser diferente já me enche de esperança.

Com o que sei sobre mim agora vou criar a melhor vida que puder!

Não é a primeira vez que preciso me despedir do passado, já tive outros passados, ainda mais longínquos, que precisei deixar para trás e hoje formam apenas memórias leves e gostosas de revisitar. Mas você ainda me dói. Você me puxa como cabo de guerra, e eu estou soltando a corda para que você caia e eu siga em frente. Eu te respeito como parte da minha jornada e sei que ainda tenho muito de mim para descobrir.

Adeus.

Primeiro eu me amo

Eu me amo em primeiro lugar.
Eu sou a primeira pessoa a quem devo satisfação.
Isso não significa que passo por cima dos outros, e sim que estabeleço e deixo claro quais são os meus limites e fronteiras de até onde posso deixar que avancem sobre meu "território". E vou agradar os outros de forma deliberada e responsável, sabendo que faço isso puramente porque quero amar, e jamais porque espelho nela a expectativa de amor e afeto que eu mesmo não me dou. Amo e não espero nada em troca, **o ato de amor me preenche** e pronto.
Depois de mim, amo quem prezo. De três a quatro pessoas a quem tenho um profundo sentimento de carinho que transcende o contexto e a rotina. Pessoas que despertam o melhor em mim. Amo-as e faço questão de agradá-las.
Em terceiro lugar, as fronteiras vão se expandindo e se tornando menos rígidas, campos mais nebulosos. São as pessoas que têm algum tipo de contato comigo. Por serem muitos, são extremamente diferentes uns dos outros, com quadros de valores, crenças, posturas e comportamentos variados, em que eu não tenho nenhuma responsabilidade em me enquadrar, apenas sou gentil, educado, justo e carinhoso, sem nunca me perder de vista.
Em quarto lugar estão todas as outras pessoas do planeta. Elas eu respeito, mas não preciso agradar.

Nós
Nus
Dando nós
Um no outro

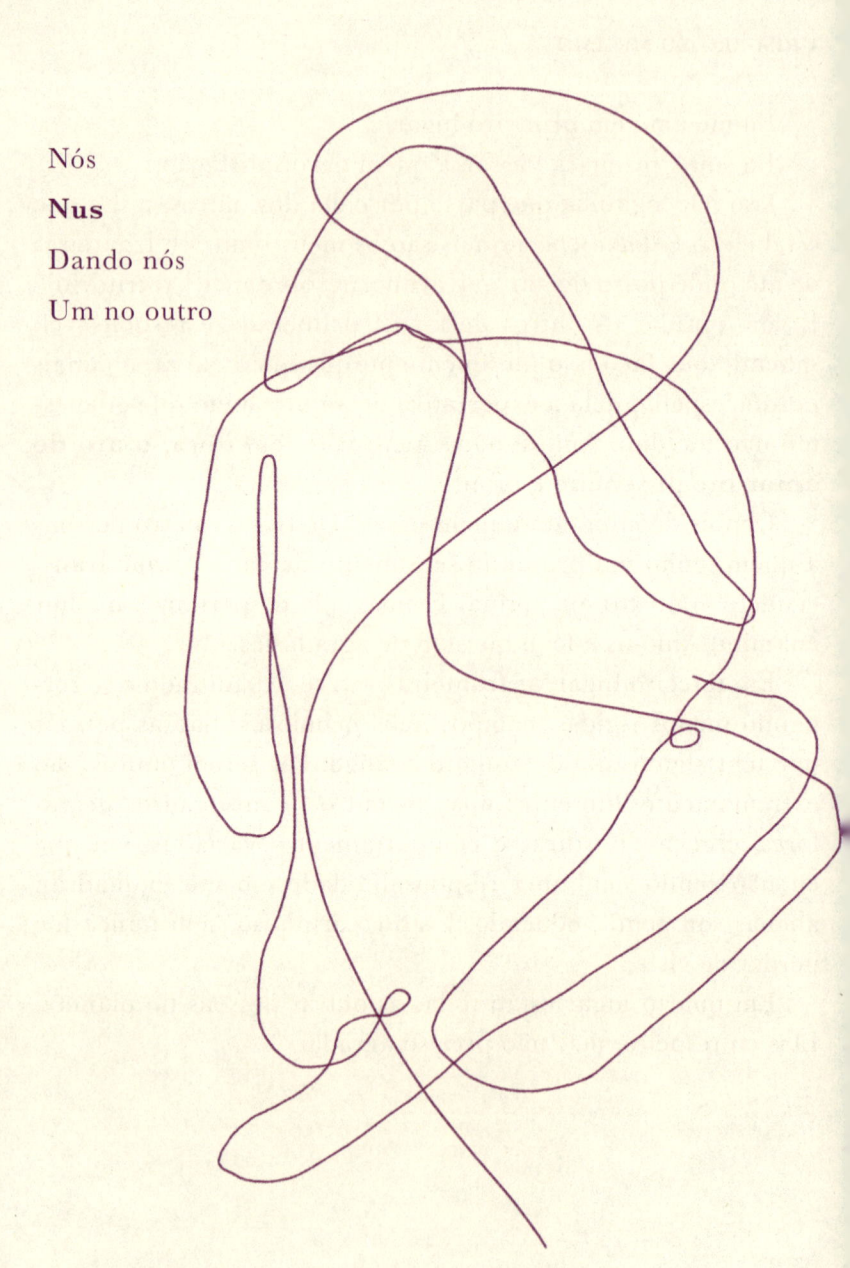

Eu sou artista
Porque sou **errado**.
Se eu fizesse o certo
Sentisse certo
Pensasse certo
E vivesse certo
Eu seria certo
E não precisaria de arte.
Eu me comunico por arte
Porque ela
Sendo **errada**
Me entende de alguma forma.

Eu sou artista
Porque sou pessoa.
Se eu fizesse errado
Sentisse errado
Pensasse errado
E vivesse errado
Eu seria errado
E não precisaria de arte.
Eu me comunico por arte
Porque ela
Sendo **certa**
Me entende de alguma forma.

A poesia é a ovelha desgarrada da literatura. Enquanto todos os outros gêneros literários estão sendo condecorados nas prateleiras de best-seller, a sessão de poesia continua escondida na prateleira de baixo, onde ninguém vê, onde é o seu lugar. A poesia está sempre à margem. A crônica recebe prêmios. O romance vira filme. A autoajuda faz heróis. E a poesia está jogada na calçada. A poesia é pequena e só é poesia porque é pequena. Se algum dia minha poesia fizer sucesso, suspeite de tudo o que eu estiver dizendo.
Poesia boa é poesia machucada.

Tenho medo disso
Porque preciso sentir medo
Porque não sei viver sem medo
Porque só sei existir sendo refém
Se não é medo disso
É de outra coisa.
Eu invento meus medos
Para justificar minhas inseguranças.
Se cair a ficha que meus medos são irracionais
Eu terei que encarar a vida e ser feliz
E não sei se estou pronto para isso.

P.S.: Estou.

A **felicidade** está a caminho
A **felicidade** está no caminho
A **felicidade** é o caminho
A **felicidade** é enquanto caminha
A **felicidade** está pelo caminho
A **felicidade** caminha pelo caminho
A **felicidade** está no caminhão derramando sementes pelo caminho
A **felicidade** é o caminhar lento de mãos dadas no caminho
A **felicidade** é uma caminhada
A **felicidade** tem camas pelo caminho
A **felicidade** se fortalece enquanto caminha
A **felicidade** caminha
Mas a **felicidade** não tem ponto de chegada.

Essa minha vontade de encontrar alguém para amar
Esconde um profundo desejo de ser amado
Eu me apaixono fácil
Porque projeto meu amor no outro,
que reflete de volta para mim
Como um espelho
Talvez se me amasse
Meu amor seria suficiente
E teria finalmente encontrado
O amor da minha vida
Eu tento compensar no outro
O amor que não me dou.

Toda ilusão que criei da vida caiu por terra
Se desfez
Como se fosse um sonho.
Como se eu estivesse hipnotizado.
E que bom!
Agora só sobrou o que é real
Foi como um pequeno incêndio natural numa floresta
que incendeia o que é inflamável
E sobram só as plantas verdes e germináveis
Eu caí na real e agora posso fazer planos com a realidade
pura e frutífera.
Doeu.
Mas todo crescimento dói
Queimou,
Mas queimou o que era de madeira velha
A floresta vai ficar cada vez mais verde agora.

Não se engane
Minha poesia não está no mundo
Como o carro está no mundo
Ou como a rotina está no mundo
Minha poesia está fora do mundo
Como o sonho está fora do mundo
Como o sentimento está fora do mundo
Como o futuro está fora do mundo
Eu existo como existe o vazio
Enquanto possibilidade
Enquanto imaginação.
O livro está na prateleira
E a prateleira está no mundo
Mas eu não
Eu sou como o intervalo é
Como o susto é
Como o beijo é.
Eu só sou porque você é
E só estou porque você está
Eu só existo enquanto me lê
E te convido a conhecer o mundo
Embora esteja tão descolado dele.

Eu cedo

Eu cedo

Eu cedo

Eu cedo

Eu cedo

E vou cedendo

Até ficar sedento

Até ficar com sede

Eu cedo

Eu sempre cedo

Sinto que não sou minha sede

E vou cedendo

E de tanto me ceder

Eu seco.

Você é uma ideia inusitada que Deus teve

Numa manhã de sol, Deus estava cansado de fazer tudo sempre igual e pediu para que seus anjos lhe trouxessem outro tipo de lápis do que usava rotineiramente, e outro tipo de papel. Deus saiu de seu escritório e foi se sentar na grama, para o estranhamento dos anjos, que perguntavam entre si o que estava acontecendo. Deus queria inovar, disse que sonhara um sonho bom e queria criar uma pessoa diferente. Ele estava feliz quando te criou, acordou inspirado. Enquanto Ele pensava em você, olhava para o céu ao redor e sorria. Sabia que você um dia poderia se sentir diferente dos outros, mas resolveu colocar toda sua ideia de amor no projeto. E te fez assim, do jeitinho que é, diferente, atípico, como um ipê amarelo no meio da floresta toda verde. **Você é uma ideia inusitada que Deus teve**, é o resultado de uma criatividade colorida, leve, livre, gostosa.

É assim, mas por que deveria não ser? Por que deveria ser igual? Por acaso desdenha da criatividade de Deus? Você é a mistura das tintas, é o outro grafite, é um projeto novo, é o trabalho que Ele mostra para os outros, entusiasmado, e conta com detalhes como foi o processo criativo. Você é a obra-prima, é o impulso pela liberdade, é a expressão genuína e alegre de Deus.

Quando a carreira começa a tomar o lugar da identidade
A alma começa a adoecer.
Carreira é ofício, não essência.
Carreira tem história de carreira,
Mas a vida é mais ampla.
A vida tem história de vida,
Não confunda.
Uma coisa é a história da sua vida profissional
Outra coisa é a história da sua vida.
Eu sou uma pessoa que tem uma carreira
Não uma carreira que tem uma pessoa.

Quase tudo o que eu fiz na vida
Eu tive que reinventar a minha maneira.
Não soube ser escritor como os outros,
Então fui eu.
Não soube ser professor como os outros,
Então fui eu.
Não soube ser amigo como os outros,
Então fui eu.
Não soube ser namorado como os outros,
Então fui eu.
Eu tentei ser tudo,
Mas nunca consegui ser nada
Além de mim.
E tudo o que sou
Se reconhece em mim
Mais do que eu me reconheço nisso.
E vou aprendendo a ser eu
Enquanto o certo e o errado
Me avaliam de longe
Cochichando
E me vendo dançar.

P.S.: Descobri que sendo eu, posso ser tudo a minha maneira.
Sendo, reinvento todas as formas de ser.

A primeira vez que te vi
Te vi e achei bom
Você chegou como chuva fraca
E quando vi tinha água entrando em casa
Eu não fechei as janelas
Nem tirei as roupas do varal
E hoje estou encharcado de você
Eu sempre fui tão seco
E hoje **adoro tomar banho de chuva**.

Memória é digestão

Existem memórias leves, de emoções ingeridas pela manhã, no desjejum, que o corpo recebe e digere de forma saudável e imperceptível. Faz a vida seguir seu rumo com a alma nutrida de uma alimentação balanceada, de emoções equilibradas, que passam pelo sistema digestivo e nos deixam mais fortes. Rotina.

E existem memórias indigestas, que levam meses ou até anos para serem totalmente eliminadas do organismo. Foram emoções fortes, pesadas, e é natural que leve um tempo para serem digeridas. Uma digestão desconfortável, que dói, que te faz lembrar o que foi ingerido e só de lembrar te dá dor de barriga, enjoo. Foi coisa demais em pouco tempo, se tivesse comido essas emoções de forma equilibrada, não estaria doendo tanto. Mas extrapolou, e o sistema digestivo da memória tem seus limites.

Tudo o que você vive vai ser digerido pela memória, e a forma como você significa as coisas que vive é esse processo digestivo.

Você vai pensar sobre isso por muito tempo e precisa ir perdoando e aceitando o que aconteceu aos poucos, é um processo. A aceitação é o ácido gástrico responsável por digerir o que foi vivido. Você não precisa necessariamente entender, às vezes não tem explicação, mas aceitar, sim. Leva tempo. Aceitar é eliminar de vez o incômodo.

Memória é digestão.
Toda emoção passará pelo estômago.
Alimente-se bem.

P.S.: Conversar sobre essas memórias ajuda muito a digeri-las.

Eu odeio poesia por que eu não tenho escolha?
Sério?
Não tenho escolha?
Covarde!
Eu tenho todas as escolhas em minhas mãos! Todas.
Eu posso fechar tudo hoje e abrir uma padaria
O que não seria uma má ideia.
A poesia me acompanha como uma amiga
Uma namorada
E eu tenho, sempre tive e sempre vou ter escolha de decidir
quem eu quero que me acompanhe pelo caminho.
Se começar a se tornar um peso, eu não preciso aceitar nada
Eu troco a poesia pela crônica
Ou pelo conto
Ou por outra atividade como massoterapia ou panificação.
Eu nunca mais vou me pôr contra a parede
Eu nunca mais vou me fazer de refém
Eu respeito minhas escolhas e ainda me dou um abraço.
"Não tenho escolha"
Até parece.

Refém

Sou refém das expectativas
de todas as pessoas ao meu redor
Com exceção de uma,
Eu mesmo.

Eu me comporto como um espelho que reflete exatamente o que o outro espera de mim, e assim, de forma inconsciente, vou me moldando e me adaptando ao olhar do outro, às suas opiniões e visões de mundo, como se a desaprovação dele fosse a pior coisa que pudesse acontecer.

E assim eu sou com todo mundo, como água que toma a forma do recipiente, várias e várias vezes por dia, por isso chego em casa tão cansado e só encontro segurança na solidão.

A solidão me deixa livre das expectativas.

A solidão é confortável porque estou livre para não ser.

Porque ser me cansa, é forçado, me exige esforço, sabe?

Respeito tudo e todos, mas não me respeito.

Isso vai me desgastando, me esticando ao máximo, e agora já não sei mais qual é o meu estado normal, como um short que perde o elástico, eu não me sirvo mais.

Me moldei tanto, e tantas vezes, que **não sobrou "eu" para mim**.

Que bom que percebi isso. Sério. Que bom que estou escrevendo este texto. Isso acontecia de forma inconsciente, e eu não sabia explicar minha culpa quando ia dormir. Meus pensamentos sobre como decepcionei ou simplesmente não fui suficiente com algumas pessoas. Como se eu tivesse alguma obrigação de agradar, como se eu tivesse que prestar contas de mim para alguém.

Querendo ser para todo mundo, deixei de ser o que eu sou.

Recebo elogios que vão construindo um castelo de cartas em mim, mas basta uma palavra atravessada a meu respeito para fazer tudo desmoronar.

Quer saber de uma coisa? A partir de hoje eu sou a mim, para mim e sobre mim. Sempre. Eu emano meu "eu" a tudo a meu redor, minha luz e minha *quentidão*. Preservo meu "eu", que é tão sagrado, tão amável, tão verdadeiro. A versão que os outros esperam que eu seja não chega nem perto da essência incrível que eu sou de verdade.

Eu percebo isso e me sinto como alguém voltando para casa, e prometo nunca mais ir embora de dentro de mim.

Por mais que eu ame a novidade
Não sei se gosto dessa fase de adaptação
Transição.
Eu espero minha nova versão como quem espera conhecer alguém na festa.
Quero logo o primeiro beijo.
Quero logo me apaixonar por mim.
Quero logo passar o resto da minha vida ao meu lado.

Estou te esperando como quem espera a noiva no altar.
Eu te espero linda
Mas sei que vai chegar ainda mais linda do que estou esperando.

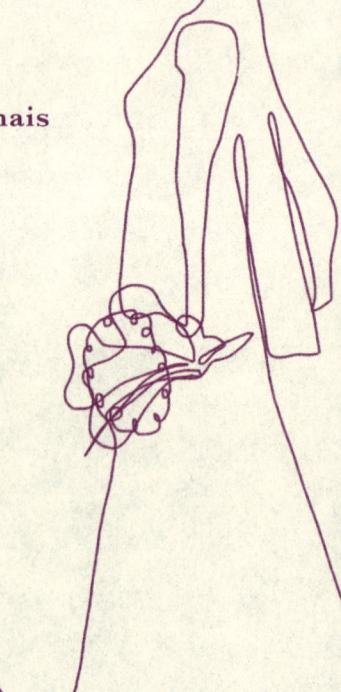

Esse suspiro quieto
Que me deixa inquieto
Há de passar.

Eu vou cobrir a fagulha da tristeza
Com feno úmido
Extremamente molhado de amor
Rotina
E suor.

Calma que vai passar.
Tá passando.

Como faz para organizar a vida
se estou no meio de um furacão?
Eu espero ele passar?
Eu luto contra ele?
Não sei.
Estou cansado.[1]

Um tempo se passou desde que escrevi este poema, e gostaria de responder para mim mesmo a essas questões, agora que tudo se acalmou.
Eu sei como este furacão te machucou.
Primeiramente, se está cansado, descanse.
Não se cobre tanto a ponto de achar que o mundo é culpa sua.
Você tem o direito de se retirar e cuidar de você.
Segundo, às vezes a vida foge do nosso controle mesmo e acontecem coisas que nunca vamos entender, então deixe a chuva vir e levar o que tiver de levar. A chuva sabe o que faz, e não é racional lutar contra ela. Deixa molhar, deixa chover, deixa levar.
Na manhã seguinte, quando a chuva passar, você analisa os estragos que a tempestade causou. Aí você pega o rodo e começa a colocar tudo em ordem de novo. Mas dessa vez você vai reconstruir a casa com mais cautela e sabedoria, e seus alicerces fortes vão resistir muito mais às futuras tempestades.
Por último, lembre-se de que nenhuma chuva dura para sempre, e por mais que você não veja o sol, ele sempre estará lá.
O Sol é eterno. O furacão é passageiro.

---

1 Poema publicado no primeiro livro desta trilogia, intitulado *Eu tenho sérios poemas mentais*.

Eu te amo muito
Mas não te amo por mim e por você.
Se seu amor próprio não te sustenta,
Tampouco o meu te deixará em pé.
Me desculpe,
Mas é desgastante demais eu tentar ser suas pernas
Se você não quer caminhar.
Só é saudável para mim
amar quem já se ama.
Eu posso somar seu amor
Mas não posso te amar por você.

Não

Falar "não" é poder.

O "sim" pode ser uma escolha, mas na maioria das vezes é só uma resposta imediata a qualquer imposição da vida e das outras pessoas sobre você. É preciso coragem para falar "não" quando se quer falar "não". Mas nós quase sempre falamos "sim", mesmo querendo falar "não". Existe um medo ingênuo de soar indelicado, como se negar algo fosse te fazer uma pessoa ruim. Mas quando você aceita fazer algo que não quer, você está negando a si mesmo, falando um grande "não" para você e sua vontade. Por que sempre aceitamos as imposições dos outros sobre o que fazer, para onde ir e como se comportar?

Esses dias eu recebi uma proposta que logo de cara eu sabia que não iria querer fazer. Comecei a pensar em um monte de desculpas para negar aquele convite, até que me dei conta de que eu sou dono de mim mesmo e **não preciso justificar exageradamente o meu não querer**. Eu simplesmente neguei o convite, sem longas explicações, apenas uma justificativa real e educada para o "não". Foi uma sensação maravilhosa de liberdade.

Se tivesse sido há tempos atrás, eu teria aceitado o convite por medo de ser indelicado, e depois pensaria em uma desculpa para não fazer, o que potencialmente ocasionaria um mal-entendido, ou eu simplesmente acabaria fazendo algo que iria atrapalhar meus afazeres pessoais.

Você precisa começar a negar aquilo que julga desnecessário para poder focar sua energia e vitalidade no que realmente quer, caso contrário você irá se desgastar em uma ação para outrem e nunca conseguirá avançar em seus projetos. Isso não significa que tenhamos que ser pessoas rígidas que não fazem nada por ninguém, apenas que temos foco e aceitamos que fazer algo por alguém vai ser por pura e espontânea vontade, e não por ceder a uma pressão. Significa que o controle do "sim" e do "não" está em suas mãos.

Quando você sempre cede, sempre fala "tá bom, vai", você vai se apagando, até perder as rédeas de sua vida em prol dos outros, outros esses que nunca te devolverão a si.

Ajude os outros, ceda às vezes, busque um meio-termo, seja educado, mas sempre respeite o seu direito de não querer, porque se você sempre ficar aceitando tudo pelos outros, nunca vai ter tempo de construir seu próprio caminho. Empodere-se do seu "não" e use-o a seu favor. Às vezes falar "não" é o que abrirá portas para vários "sins" que estão adiante.

Seu tempo é um só, tenha o "sim" e o "não" em suas mãos.

Ironicamente, estabelecer seus limites é o que te permite expandir.

Vanglorio minha erradez
Mas na verdade sou o mais puro clichê de ser humano.
Me sinto diferente
Mas sou igualzinho.
Me sinto especial
Mas sou idêntico.
Só tenho facilidade em colocar em palavras aquilo
que todo mundo sente vez ou outra na vida.
A gente se reconhece
E percebe que essa dor tão única
É impossível de ser mais comum.

Eu amo café

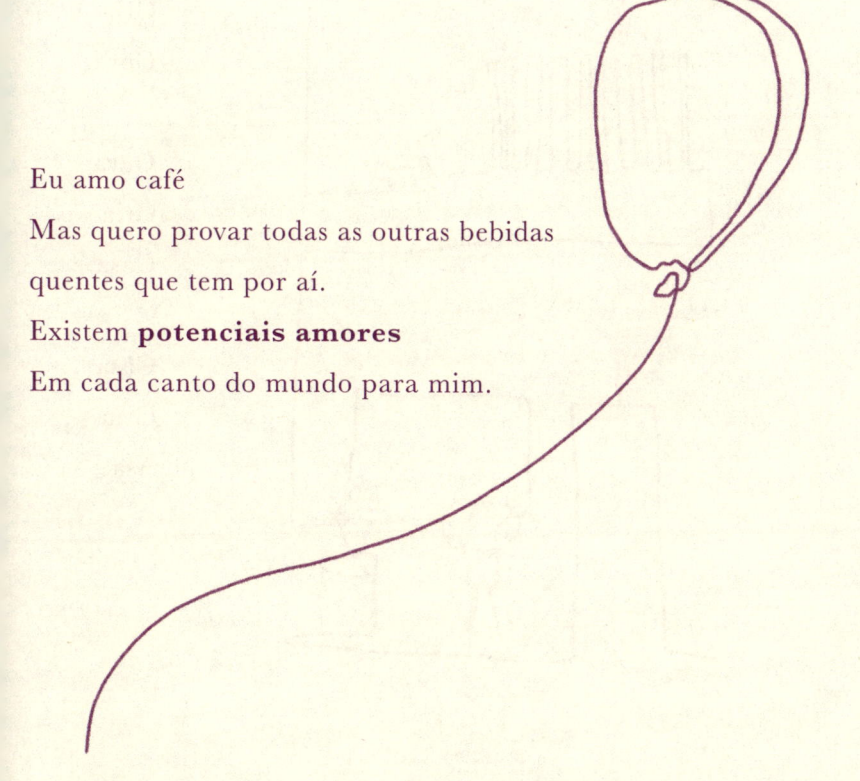

Mas quero provar todas as outras bebidas quentes que tem por aí.

Existem **potenciais amores**

Em cada canto do mundo para mim.

Crise
Cria
Cura.

Cura
Cria
Casa.

Casa
Cria
Asa.

Eu não sou a imagem
Nem o conteúdo
Sou ainda mais profundo
Um ser que de vez em quando
Se dá conta de que **existe**.

Se ama e aceita o fim.
Joga o resto desse sanduíche estragado fora
Que tem pão quentinho saindo do forno
Nunca vai te faltar amor.
Nunca vai te faltar nada.

Nada é mais verdadeiro que minha arte.

Nem menos verdadeiro.

A arte não tem nada a ver com a verdade.

A arte tem a ver comigo

E eu não sou nem verdade

Nem mentira.

Eu sou isso

E a arte também.

Eu não acredito em nada que escrevo.

E você também não deveria.

Deixe o acreditar para os livros religiosos.

E o entender para os científicos.

Mas sentir...

Isso eu senti.

Cada frase que escrevo escorre de mim como suor

Minhas palavras são toque.

E toques não precisam ser explicados.

O amor-próprio é nosso primeiro amor recíproco.

Por isso, tudo de bom que eu faço para mim

Retorna positivamente para mim.

Como se fossem duas coisas diferentes.

Minha mente decide fazer algo bom para o meu corpo,

Como praticar exercício físico,

E meu corpo agradece fazendo bem para minha mente.

E eu decido me exercitar

Não porque odeio meu corpo

Mas pelo contrário, porque o amo!

Porque o quero forte e com saúde.

Cada pequeno gesto de autoamor

Retorna para você como uma troca de presentes.

Porque o amor próprio é nosso primeiro amor recíproco.

Seu corpo se esforça para arrumar o quarto

E sua mente retribui o favor gerando um enorme sentimento de bem-estar.

Um dia você não acorda bem.

Sente preguiça,

Autoestima mais ou menos,

Se sentindo uma batata,

E você não se julga,

Mas respeita seu momento.

Busca entender seus motivos, sem julgá-los.
E na medida em que entende seus motivos, você os acolhe,
neutralizando toda culpa desnecessária.
E assim vai aprendendo a lidar com suas questões
de forma cada vez mais autoconsciente.
Isso é amor também.
A cada pequeno carinho que você se dá e recebe
de si mesmo, vai percebendo que merece seu amor,
que merece seu cuidado.
Que tudo de bom que você se fizer, voltará para você.

E quando está bem consigo, para de depender da reação dos outros, não joga mais sua expectativa nos outros, entende que o outro é outro universo, independente e autônomo.
Você se amando, se basta.
O amor-próprio desfaz atrito em relações, porque sua paz não está mais a mercê do externo.
Não está vulnerável às reações dos outros.
Tudo o que você faz de bom para você, volta de bom para você, você se resolve e melhora com todo mundo.
O amor-próprio é nosso primeiro amor recíproco.
E talvez o mais verdadeiro.

Eu sinto que não tenho uma forte conexão com ninguém
Por isso me sinto tão sozinho.
Eu tenho um sinal fraquinho com meia dúzia de pessoas que compartilho coisas pontuais,
Mas nada que chegue perto de uma conexão de verdade.
Meus assuntos, eu trago sozinho e eles ficam o dia todo rebatendo entediados dentro de mim.
Não foi sempre assim, já tive conexões reais, mas não sei o que aconteceu com elas, onde foram parar.
O meu sinal fraco com os outros me enfraquece também, pois quando não me conecto, quando não me expresso, vou deixando de existir.
Quando crio uma conexão com alguém, eu me entrego e me reconheço na entrega, nos assuntos, nas risadas, nos momentos juntos.
Eu me humanizo na relação com o outro.
Se não tenho ninguém,
Não me tenho também.
E vou me perdendo aos poucos
Deixando de rir
Deixando de parecer
Deixando de amar
Deixando de ser.

Eu não aguento mais romances.

Eu enjoei de narrativas.

E não suporto mais histórias.

Eu quero um amor real

Que não precise de destino

Os romances que vivi

Me levaram ao céu

E me soltaram lá de cima

Foi uma festa

Que acabou

E me deixou sozinho para arrumar a bagunça

Estou farto de boas histórias

Eu quero sentar ao seu lado para ouvir as histórias de amor de outras pessoas

E quando perguntarem sobre nós

Apenas trocamos olhares e damos risada por nossa história não ter nada de mais

Aconteceu como acontece a amizade

Eu quero um amor que não tem nada de mais

E te amar como eu amo mamão, café ou ir à padaria

Um amor costumeiro
Que não enjoa
Que não ecoa
Mas acontece todo dia
Não aguento mais amores que pegam fogo!
Eu não quero fogo
Eu quero água! Dois litros por dia
E um amor que me molha
Porque 70% de mim é água
E os outros 30% estão encharcados de nós dois.

                                      Eu quero um amor pequeno
                                          Como uma semente
                                              Que não é flor
                                    Mas tem tudo para ser flor
                                 E naturalmente se torna flor
                                  E quando menos se espera
                                                  É flor
Amor que não se conquista, mas sutilmente se torna.
    Eu não te conheço, mas tenho certeza de que sorri
                                E a prova do amor é seu sorriso
                                      Quando ouve meu nome
                                    Quando me vê chegando
                           Quando percebe que a mensagem é minha

Seu olhar não mente
Eu não sei se já te conheço
Se já ouvi seu nome
Mas sinto seu cheiro vindo do futuro
Como quem caminha um passo à minha frente
Eu quero te perceber em nuance
E que seja tão puro e simplesmente amor
Não romance.

Eu mantenho minhas relações rasas
Porque tenho medo que se afoguem em mim.
No azul profundo do meu coração
Tem embarcações naufragadas
De amores passados
Com tesouros escondidos em meio às algas e aos peixinhos
Aventuras passadas
De tempestades passadas
Que hoje são silêncios
Que compõem meu **oceano**.

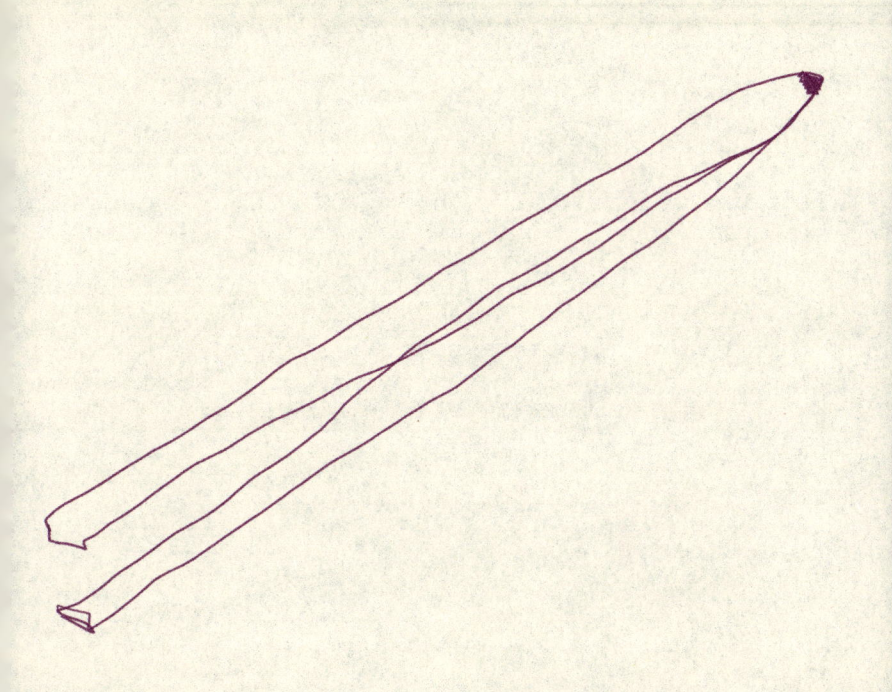

Cada poesia que eu escrevo
É um espinho a mais que eu tiro do **dedo**.

Encher-se e esvaziar-se

Todo crescimento se dá em ciclos. Nenhum crescimento é uma linha reta e constante.

As estações do ano são um macro processo de expansão e esvaziamento. O outono é um período de preparação para o inverno, e as árvores perdem suas folhas e flores para que usem o mínimo de energia para sobreviver, visto que passarão por um longo período de escassez.

O inverno chega e as árvores entram em uma espécie de hibernação, porque sabem que não terão luz solar suficiente para realizar fotossíntese.

Quando a primavera chega, elas começam a florir porque sabem que o tempo de suas sementes se espalharem por aí e encontrarem um solo fértil será o tempo exato de o verão chegar e derramar sobre elas sua luz solar em abundância.

No verão, as plantas já estão todas preparadas e cheias de folhas para usufruírem da melhor maneira possível de tamanha oferta de radiação solar.

É claro que esse ciclo se dá de maneiras distintas em diferentes partes do mundo, mas, em suma, se as plantas não soubessem respeitar seus períodos e transições, certamente morreriam. Não adianta a planta ter pressa, ela deve ser cautelosa e respeitar o tempo da natureza.

A respiração, o aprendizado, a expansão do universo, tudo se dá de forma cíclica, tudo expande e se contrai, tudo respeita seu limite para se retrair. Se algo tenta se expandir de forma infinita, certamente explodirá.

Essa lógica se aplica a muita coisa em nossa vida.

Se a gente não entender que temos um limite e que às vezes precisamos nos ausentar para voltar com mais força, vamos extrapolando nossos limites e perdendo a saúde. Você conseguirá ir muito mais longe se parar para descansar e recalcular a rota a cada trecho percorrido. Você não precisa correr sem parar.

Seus pulmões conseguem sustentar uma vida inteira respirando porque eles respeitam essa frequência suave e natural de se encher e se esvaziar.

Quando estiver no limite do topo, terá uma vista melhor do contexto. Quando estiver na baixa, não desanime, saiba que isso faz parte do processo.

Entendendo seus ciclos e suas estações, você saberá a hora certa de florescer e não ficará remoendo as flores que perdeu na estação passada, pois saberá que **a primavera sempre volta e logo seu coração estará pronto para florir novamente**.

Nunca vai faltar papel.
Pode ficar tranquilo
Enquanto houver papel e lápis
Eu sempre vou ter para **onde correr**.

Eu relaxo em minha arte
Porque é quando me esqueço de existir.

Eu relaxo em minha arte
Porque é quando eu me lembro de existir.

Sabe quando aquela pessoa que você mais ama está triste e isso te fere a alma?
Tenha um pouco de cuidado com esse sentimento. A tristeza do outro não precisa cair como um balde de água na sua cabeça. Não é como se você estivesse sendo egoísta se não se entristecer também. Você é absolutamente capaz de ajudar, dar abraço, dar colo e se prontificar a estar com a pessoa sem se deixar influenciar pela tristeza dela.
Compra um presente, saia para jantar, conte piadas. Mas não ache que a tristeza da pessoa é sua também, porque não precisa ser.
Não é culpa sua, no fundo você sabe disso.

Minhas transformações são assustadoramente lindas
Como uma tempestade se formando no horizonte.

Se eu pudesse viajar no tempo
Viajaria para o presente
Para poder viver o momento
E explicar para mim mesmo o que sente

Se eu pudesse viajar no tempo
Sairia imediatamente do passado
Deixando para trás o que houve
Independente se certo ou errado

Se eu pudesse viajar no tempo
Voltaria desse futuro
Que minha alma teima em pensar
Se preocupa se morro ou se curo

Eu faria o que tenho vontade
Viveria o aqui
De verdade
Respiraria fundo
Esqueceria o mundo
Abraçaria o "eu" do presente
E diria que está tudo bem
Com o corpo, com o mundo e com a mente.
Que essa sua ansiedade descabida
É um momento
E não sua vida

Se eu pudesse viajar no tempo
Viveria para sempre o agora
Onde a alma devia morar
Nesse exato momento que aflora.

A crença cria parede
A crise cria **caminhos**.

Que vontade de me sentir à vontade com alguém.
Que saudade de me entregar de verdade a alguém.
Que delícia poder me abrir e ser eu.

Encontrar para compartilhar aberto
Um amor expansivo
De pijama e meia

E conhecer mais de mim no outro
Me conhecer mais pela visão do outro

Construindo um novo eu em nós
E poder ser cada dia mais eu
Cada dia mais mundo
Cada dia mais profundo
Leve companhia que faz falta.

Eu pego a minha dor
E faço bolha de sabão

Se não virar poema
Não é **Pedro Salomão**.

O namoro acaba

Você sofre.

Mas um dia você abre a gaveta

E encontra uma foto com uma carta antiga.

Você tem preguiça de ler a carta.

É assim que a vida é.

Um dia a preguiça vence a saudade.

E aí

Passou.

P.S.: Nesses momentos, desinteresse é cura.

Ora ou outra sou poeta,
mas não em todos os momentos.
Prove minha arte, lambuze-se se quiser.
Mas não espere nada de especial de mim.
Minha arte é uma plantação de amoras
E ninguém espera que o agricultor
tenha gosto de geleia.

Sobre esse vazio que sinto
Não vou desacreditar de tudo assim.

Pode ser que por ora eu não me reconheça em nada
Mas tenho certeza de que tudo o que é bom
Se reconhece em mim.

Minha intensidade inflama
Incendeia
Mas nunca conseguiu acelerar o ciclo natural das coisas
Eu tenho poder sobre algo
Mas nunca sobre tudo.
Eu posso achar que tenho todas as respostas
E mesmo assim terei que esperar o tempo do universo acontecer.

Eu tô cansado de tentar entender o que aconteceu
Eu só quero aceitar e seguir em frente
Por que é tão difícil?
Eu preciso entender para digerir
Eu preciso entender para justificar
Mas acabou
E o fim nunca prestou contas de nada.
O que eu vou fazer com a autópsia da nossa história?

Deusa Lágrima
Eu te invoco em choro
Em meu sagrado quarto
Meu ritual soluço

Deusa Lágrima
O teu milagre calma
Minha oração silêncio
O meu amém abraço

Deusa Lágrima
Faz dos meus olhos nuvem
De chuviscar divino
O seu molhar materno

Deixa secar de mim a dor

A chuva reza
O choro rega
O pranto fértil
Deusa Lágrima

Mãe de água salgada
Me deixa afundar em seu profundo alívio
Abrir o sorriso tímido de fim de choro
De um constrangimento suave
A visita cura
Da **Deusa Lágrima**.

Sou
solidão
Sólida
Sou lido
Mas sou
Só.

Como o Sol lida
Com a luz

Eu lido
Com o livro

Só lido
com a letra
Só lido
Comigo.

O mundo vai acabar em breve
Eu tento entender o mundo
Mais do que isso
Eu tento explicar o mundo
Para o mundo
Enquanto crio o mundo
E ajudo a transformá-lo
Estamos todos dançando em ciranda
Aprendendo a dançar
Durante a apresentação
Essa mistura de aula,
Ensaio,
Apresentação,
E plateia
Tudo em atropelo
Enquanto o mundo gira
A gente vai aprendendo a ser gente.
Enfim o mundo acaba
E só a valsa valeu a pena
Ninguém deu nota
Nem nunca dará
Quem dançou dançou.
Quem beijou beijou.
As luzes do salão em breve vão se apagar
Aproveite a festa.

Eu não sou profundo.
Minha poesia faz eco porque eu sou vazio
E só estou entrando devagarinho nessa caverna
Que ecoa minha **literatura**.

Que bom que está se reconectando com a escrita, uma pena que seja nessa circunstância. Eu queria te lembrar de algumas coisas, caso tenha se deixado esquecer.
Nós temos uma linda história. LINDA. Ridiculamente linda! Aramos a terra, organizamos a equipe, pegamos as melhores sementes do nosso coração e fizemos uma plantação incrível. Nunca antes vista. Foram plantas únicas, que foram vendidas no Brasil inteiro. Milhões de pessoas usufruíram de nossas frutas para os mais diversos fins. Sucos, bolos, doces, in natura, cristalizadas, foi demais. Nós estamos no organismo de muita gente.
Mas toda plantação tem que esperar e respeitar o tempo da terra. Hoje é tempo de descanso. Deixar o solo descansar, pegar um Sol, tomar uma chuva. Se for preciso colocar algum insumo para melhorar o solo, nós iremos, mas acho que não vai precisar.
De qualquer forma, lembre-se de que, mesmo que você olhe o campo agora e o enxergue vazio, ele não é vazio, èle está passando pelo ciclo natural da plantação. Colheitas ainda maiores estão por vir, deixe o solo de seu coração descansar, cuide dele. Você é caprichoso, dedicado e inteligente.
Eu te amo com todo **fruto** que sou.

O BÁSICO É ÓTIMO

Eu gosto de comer lasanha nos finais de semana
Mas certamente enjoaria se comesse de segunda a sexta-feira
Mas comer arroz e feijão todo dia, eu não enjoo
Porque **o básico é ótimo**.

Eu gosto de colocar uma camisa linda
para uma ocasião especial
Mas acharia um saco ter que me vestir assim
para ir à padaria.
Calça jeans e camiseta branca para o dia a dia é maravilhoso
Porque **o básico é ótimo**.

Viajar e experimentar sabores, conhecer lugares e pessoas
é incrível
Mas eu amo voltar para casa e usar meu banheiro
E dormir na minha cama
Porque **o básico é ótimo**.

O incrível só é bom quando raro
A felicidade é o básico do cotidiano
Eu quero um amor de pijama
Com gosto de arroz e feijão
E cheiro de rotina,
Café da manhã.

Um amor básico
Porque **o básico é ótimo**.

Querida Esperança, entre e fique à vontade

Eu preparei um delicioso café da manhã para você, porque é sempre agradável te receber.

Eu amo conversar com você, amo ouvir os planos lindos que você tem para a gente, o jeito que você descreve como a nossa próxima viagem vai ser inesquecível. Você sempre faz questão de me lembrar de que essa fase difícil é passageira.

É tão gostoso ter você comigo que quero te fazer um convite: quero que venha morar comigo.

Estou disposto a criar todas as condições que você precisa para se sentir em casa. Vou te alimentar com boas notícias, boas amizades, boas leituras e bons hábitos.

Às vezes eu estou tão mal, e do nada você me manda uma mensagem dizendo que vai passar. Isso muda meu dia. E você faz isso mesmo sabendo que nem sempre te dou ouvidos. Desculpe por não te dar a atenção que merece, é insegurança minha. Quero que saiba que te amo muito.

Não quero te ter longe, me mandando mensagem. Quero te ter perto, dormindo na mesma cama que eu. Quero me casar com você, quero te ter como melhor amiga.

Enfim, a partir de agora vou te dar mais atenção, porque você sempre quer o meu bem. Espero ser cada vez mais íntimo de você.

#queridocoração

Sérios poemas mentais que se dissolvem com o tempo, que o amadurecimento resolve.
Se você me entende, por favor me explica, como um olhar de quem precisa de um abraço.
Eu mesmo sofro, eu mesmo me dou colo, busco ajuda, cuido de mim e entendo que nada em mim é defeituoso.
Sou o que sou e posso ser melhor.
Tenho todas as condições de ser feliz. Tá tudo aqui.
Acalma seu coração, respira e segue em frente.
Ainda tem muita vida para nós!

Obrigado.

Eu mesmo pouso
E eu mesmo
me decolo.

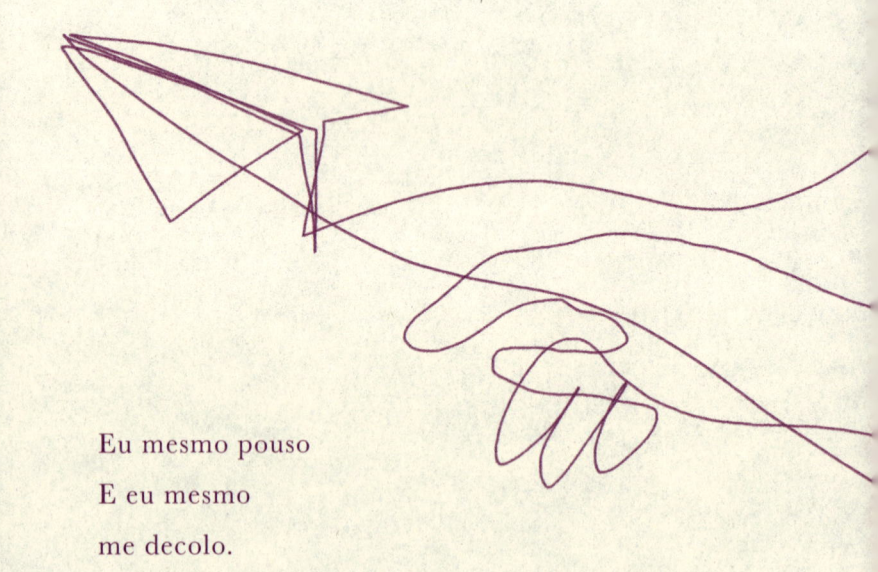

Copyright © Pedro Salomão, 2021
Copyright © Editora Planeta do Brasil, 2021
Todos os direitos reservados.

Preparação: Departamento editorial da Editora Planeta do Brasil
Revisão: Karina Barbosa dos Santos e
   Departamento editorial da Editora Planeta do Brasil
Projeto gráfico: Marcela Badolatto
Diagramação: Natalia Perrella
Ilustração: Bruno Salomão
Capa: André Stefanini
Imagem de capa: Rijksmuseum

Dados Internacionais de Catalogação na Publicação (CIP)
Angélica Ilacqua CRB-8/7057

Salomão, Pedro
   Eu mesmo sofro, eu mesmo me dou colo / Pedro Salomão. -- São Paulo : Planeta, 2021.
   176 p.

   ISBN: 978-65-5535-287-0

   1. Poesia brasileira I. Título

21-0071   CDD B869.1

Índices para catálogo sistemático:
   1. Poesia Brasileira

Ao escolher este livro, você está apoiando o manejo responsável das florestas do mundo

Acreditamos nos livros

Este livro foi composto em Baskerville e impresso pela Gráfica Santa Marta para a Editora Planeta do Brasil em setembro de 2024.

2024
Todos os direitos desta edição reservados à
Editora Planeta do Brasil Ltda.
Rua Bela Cintra, 986 – 4º andar – Consolação
01415-000 – São Paulo-SP
www.planetadelivros.com.br
faleconosco@editoraplaneta.com.br